Puur tuin

Stephanie Donaldson
Fotografie Melanie Eclare

Puur tuin

Een tuin om tot jezelf te komen

TERRA

Voor Ben

Oorspronkelijke titel: *Peaceful Gardens*

Nederlandse uitgave:

De Wetstraat 1
6814 AN Arnhem
info@terralannoo.nl
www.terralannoo.nl
Uitgeverij Terra maakt deel uit van de Lannoo-groep

Oorspronkelijke uitgever:

Productie Nederlandstalige editie:
Deul & Spanjaard, Groningen
Vertaling: Frederike Plaggemars
Redactie: Elise Spanjaard
Opmaak: Elixyz Desk Top Publishing, Groningen
Ontwerp: Sonya Nathoo
Fotografie: Melanie Eclare

ISBN 90 5897 493 6
NUR 425

Printed in China

Inhoud

We leven in een hectische wereld en hebben allemaal behoefte aan een 'veilige haven', een plek waar we onze dagelijkse zorgen even kunnen vergeten, waar we onszelf kunnen zijn, waar we de natuurlijke loop der dingen weer ervaren en ons tevreden voelen, ook al is het maar voor heel even. Sommigen gaan helemaal op in een boek, anderen geven de voorkeur aan een of andere manier van bewegen. Maar je tuin is een van de weinige plekken waar je echte voldoening kunt vinden. Het directe contact met de natuur doet spanningen en frustraties verdwijnen als sneeuw voor de zon.

Inleiding

De manier waarop je de tijd in de tuin doorbrengt, bepaal je helemaal zelf. Voel je je volmaakt gelukkig achter je grasmaaier, lig je misschien veel liever in een hangmat naar de lucht te staren door een bladerdak, of gaat er niets boven je eigen moestuin? De keuze die je maakt is bepalend voor de stijl van je tuin, maar voordat je wat dan ook gaat veranderen, is het verstandig te bepalen wat wel en wat niet haalbaar is. De *potager* (combinatie van moes- en siertuin) bij het kasteel Villandry in het Loiredal is prachtig om te zien, maar je zult in een dergelijke tuin weinig rust vinden, want er is altijd wel wat te doen. Een bescheiden groentetuintje achter een staket kan echter een heel decoratieve, productieve en rustgevende plek zijn.

rechts **In een rustig hoekje vormen de zachte kleuren van de met klimop begroeide muur de achtergrond voor een sierlijke antieke bank, die er met zijn bloemrijke maar toch sobere kussens heel uitnodigend uitziet.**

Overdenk alles rustig voordat je een eigen droomtuin ontwerpt, want wat kleine wijzigingen zijn soms net zo effectief als volledig nieuw ontwerp.

Een rustgevende tuin - eenvoudig, harmonieus om te zien en een vredige plek om te vertoeven - is een tuin waar evenwicht is en waarvan de verzorging precies genoeg aandacht van je vraagt en zeker niet te veel. Het is een plek waar je helemaal jezelf kunt zijn, ontspannen en op je gemak. In een rustgevende tuin is het luisteren naar het lied van een vogel en het opsnuiven van rozengeur net zo belangrijk als het onderhoud. Als het goed is prikkelt de tuin al je zintuigen en verrijkt hij je gevoel. Je kunt jezelf letterlijk 'aarden' als je je handen in de grond stopt. Tegenwoordig zijn heel veel van onze dagelijkse ervaringen nogal indirect: ons eten komt van de andere kant van de planeet, we communiceren via telefoon, fax of internet. Het voldane gevoel en de bewondering die we ervaren wanneer we zaadjes in de grond stoppen, water geven en zien opkomen, is puur en daarom heel waardevol.

links **Een ogenschijnlijk 'zorgeloze', informele tuin heeft een tuinier nodig die van een bepaalde mate van wanorde houdt. Het is onbegonnen werk de tuin het hele seizoen in bloei te houden: accepteer dat je tuin zijn hoogtepunten heeft en ontspan. Laat de planten zaad vormen om de continuïteit van de tuin te waarborgen. Deze stijl past heel goed bij mensen die liever met de natuur samenwerken dan haar in toom houden.**

N
O

Rustgevende vormen en ruimten

houd het simpel

symmetrie en evenwicht

overpeinzing en ontspanning

speciale plekjes

'Rust' is een woord dat zowel het hart als het hoofd aangaat. We ervaren rust met ons gevoel en we begrijpen rust met ons verstand. Dit gegeven speelt een centrale rol als je een rustgevende tuin wilt creëren. Wanneer je je met een bepaald tuinontwerp bezighoudt, onderga dan het gevoel dat het losmaakt, maar denk ook aan de praktische kanten. Houd altijd in je achterhoofd dat je streeft naar een kalmerend in plaats van een prikkelend effect.

Houd het simpel

Eenvoud is de sleutel tot succes. Kijk eerst naar wat je kunt verwijderen en dan pas naar wat je wilt toevoegen. Het weghalen van drukke details en rommel en het beperken van het aantal kleuren, werken zowel visueel als emotioneel kalmerend. Dit geldt zowel voor de beplanting als de vaste elementen.

rechts **Als je een arbeidsintensieve moestuin achter een geweven afrastering verbergt, kun je lekker gaan zitten en van het uitzicht genieten. Je hebt dan niet de hele tijd het gevoel dat je op moet staan omdat er nog het een en ander moet gebeuren.**

onder **Brede, lage trappen, waarvan de treden en randen worden verzacht door planten, leiden naar een graspad dat uitnodigend afbuigt. Als je de breedte van het pad afstemt op die van de trap, creëer je een mooie laan voor een aangename wandeling.**

Een tuin is niet alleen iets wat zich binnen de grenzen afspeelt, een tuin wordt ook beïnvloed door de omgeving. Hoe beter je deze invloeden van buitenaf begrijpt, hoe gemakkelijker je de rustige, kalmerende werking kunt bereiken die je wenst.

Wanneer een tuin grenst aan het platteland, vergezichten, andere tuinen of parken, kun je gebruikmaken van wat ook wel 'geleend uitzicht' wordt genoemd. Laat de tuin in de omgeving overgaan, gebruik het landschap eromheen en leid het oog naar buiten. Als daarentegen gebouwen of onaantrekkelijke elementen vanuit de tuin te zien zijn, of als er bomen om je tuin staan die het uitzicht belemmeren, concentreer je dan op de tuin zelf. Houd blikvangers zo laag mogelijk, zodat het oog wordt geleid naar wat zich in de tuin bevindt en niet daarboven en daarbuiten. De blik moet eigenlijk rustig langs de bezienswaardigheden kunnen gaan, en niet van plek naar plek hoeven springen.

Maak gebruik van het weidse uitzicht en bedenk daarbij dat het effect groter is als je de tuin zelf rustig houdt. Een tuin met veel gras – sommige delen gemaaid, andere juist niet – en een aantal zorgvuldig geplaatste bomen gaat naadloos over in de omgeving. Het is geen toeval dat in veel historische tuinen de borders van overblijvende

planten en moestuinen worden omringd door muurtjes en hagen. Het effect van deze tuinen is zo veel groter en bovendien leiden ze de aandacht niet af van het omringende landschap. In een kleine tuin met een mooi uitzicht kun je iets dergelijks bereiken als je borders en structuren dicht bij het huis plaatst en de hoeveelheid beplanting en harde elementen geleidelijk vermindert, zodat het einde van de tuin, daar waar deze overgaat in de omgeving, zo eenvoudig en ongekunsteld mogelijk is.

De meeste mensen die op het platteland leven hebben, op enkele uitzonderingen na, geen strook van open grasland die de meer industriële aspecten van de landbouw (onbebouwd land, modderige weilanden en agrarische gebouwen) op een afstand houdt. Een informele grens tussen de tuin en de velden erachter is een oplossing. Een gemengde heg van inheemse bomen en struiken werkt goed, vooral als een paar bomen onbekommerd groeiend het uitzicht mogen omlijsten. Het selectief snoeien van zo'n grens kan wonderen verrichten (knip je niet bij, dan sluit je de tuin helemaal af): snoei lager op plekken om een bepaald zicht vrij te maken of volg de lijnen van het landschap erachter, zodat de tuin deel wordt van het geheel. Is een afrastering nodig, houd die dan zo laag en rustiek

rechtsboven Zelfs in de kleinste 'tuin' – een vensterbank, een balkon of een terras – kun je heel subtiele miniatuurlandschappen maken. Hier komt een steen in de vorm van een blad tevoorschijn uit een bedje van grind. Zorgvuldig geplaatste vetplanten maken het plaatje compleet.

rechtsonder Een ondiepe schaal wedijvert met het dorre landschap waar deze vetplanten normaalgesproken groeien. De mulch van kiezels is zowel functioneel als decoratief, want deze laag voorkomt dat de aarde tijdens het begieten tegen de bladeren spat.

helemaal rechts De ordelijke eenvoud van dit binnenplaatsje doet denken aan een Japanse tempel of een monnikenklooster. Het gras dat in het middelste stenen blok groeit, is het enige vleugje groen.

Heb je vanuit je tuin geen mooi uitzicht, sluit dan de omgeving buiten. Maak van je tuin een knusse en afgebakende ruimte, die soms weinig meer is dan een leuke plantenbak op een tafel, een balkon of een binnenplaatsje.

mogelijk. Het beste is een afscheiding waar je doorheen kunt kijken, bijvoorbeeld een hekwerk van palen en latten. Heb je dieren en/of kinderen die de tuin niet uit mogen, maak er dan kippengaas aan vast – zo blijft het uitzicht behouden.

In een minder landelijke omgeving komt de nadruk te liggen op privacy. Hoe mooi het 'geleende uitzicht' ook is, als voorbijgangers of buren zo je tuin in kunnen kijken, zal een of andere vorm van afscherming nodig zijn om het rustgevende karakter te waarborgen. Een omheining voorzien van latwerk (trellis) waardoor planten kunnen slingeren, schermt de tuin af, maar belemmert het uitzicht niet. Een heg die

boven **Dit dakterras wordt beschut tegen de wind en de nabijgelegen flatgebouwen door een omvangrijke, maar eenvoudige beplanting die perfect harmonieert met de minimalistische architectuur en meubels.**

links **In deze stadstuin is de beplanting tot een minimum beperkt. De kracht komt van de vormen en de spectaculaire verlichting – de plek is meer voor het gezicht dan voor de ontspanning. Deze tuin heeft weinig onderhoud nodig, maar moet wel geregeld worden gecontroleerd op afgevallen blad en onkruid, anders ziet hij er al snel verwaarloosd uit.**

mooi is geknipt in golvende rondingen in plaats van een rechte horizontale lijn, benadrukt het mooie uitzicht, maar voorkomt te veel inkijk. Als je je tuin afschermt met bladverliezende bomen, struiken en klimplanten, zit je in de zomermaanden (wanneer je veel tijd in de tuin doorbrengt) helemaal vrij en kun je de rest van het jaar genieten van een mooi uitzicht. Dergelijke tuinen zijn zowel 'naar binnen' als 'naar buiten gericht', afhankelijk van het seizoen.

In de stad of op andere plekken waar mooie uitzichten ver te zoeken zijn, kun je de omgeving buitensluiten. De tuin wordt dan een intieme, omheinde ruimte die soms niet meer is dan een mooie plantenbak op een tafel, een balkon of een binnenplaatsje. Vooral hier geldt dat de sfeer in plaats van de afmetingen bepalend is voor de stemming. Bomen en struiken lijken dé manier om de tuin van de omgeving af te scheiden, maar in de stad is deze oplossing niet altijd mogelijk. In een tuin die wordt overschaduwd door grote gebouwen en geteisterd door windvlagen, slaan planten vaak niet goed aan, en als ze al groeien is het resultaat soms een bedompte, vochtige en donkere plek met zure grond. In zulke situaties neem je je toevlucht tot goed overdachte harde elementen. Er moeten blikvangers komen en harmonieuze vormen die de aandacht trekken en ervoor zorgen dat de beplanting minder belangrijk wordt. Een paar met zorg uitgezochte architectonische planten hebben veel meer impact en zijn eenvoudiger te onderhouden dan een bonte verzameling van niet veeleisende struiken die bestand zijn tegen stedelijke condities.

In de stadstuin is het heel belangrijk vorm en functie te verenigen. Hoe prachtig een tuin ook ontworpen is, als de eigenaar er niet mee uit de voeten kan, faalt het ontwerp. De tegenstrijdige gevoelens die eruit voortvloeien, zijn verre van rustgevend. Stel van tevoren vast hoe je de tuin wilt gebruiken. Iedere goede tuinontwerper stelt gedetailleerde vragen over wat je van je tuin verlangt voordat hij of zij een heel nieuw ontwerp maakt.

Mensen hebben verschillende wensen. Sommige stadsbewoners willen niets liever dan een mooie, niet veeleisende ruimte, omdat ze geen tijd en geen groene vingers hebben. Ze willen gewoon iets rustgevends om naar te kijken aan het einde van een dag vol stress. Een minimalistische stijl is heel populair onder stedelingen zonder kinderen. Voor een gezin is een dergelijke tuin vaak minder geschikt, er slingert al snel

rechts **Zorgvuldig snoeien heeft de karakteristieke vorm van de boom onthuld die deze stadstuin beschaduwt. In plaats van planten, die de impact van de boom waarschijnlijk zouden verminderen en die het moeilijk zouden hebben in de schaduw, heeft ontwerper Jonathan Belle gekozen voor gestructureerde horizontale oppervlakken op twee niveaus. Een eenvoudig latwerk (trellis) omheint de tuin en zorgt voor privacy, maar belemmert het uitzicht niet.**

speelgoed rond of de kinderen halen hun knietjes open aan het grind, en een echte tuinier raakt al gauw gefrustreerd door het gebrek aan planten. De meeste mensen kleden hun balkon en terras aan met planten, anderen vinden dat deze buitenvertrekken niets meer nodig hebben dan enkele met zorg uitgezochte tuinmeubels. Misschien ergert dat vrienden en familie die de ruimte met planten zouden willen versieren, maar als een sober ingericht buitenvertrek jouw idee is van een rustige tuin, hebben buitenstaanders daar niets mee te maken.

Steeds meer mensen gaan vanuit huis werken, wat met zich meebrengt dat de tuin een andere rol krijgt toebedeeld. Het tuingedeelte dat vanaf de werkplek te zien is, moet rust uitstralen en niet uitnodigend zijn. Vanachter mijn eigen bureau kijk ik uit op boomtoppen en lucht: fijn om naar te staren als ik moet nadenken, zonder al te veel af te leiden. Aanvankelijk wilde ik mijn bureau in een kamer met uitzicht op zee te zetten, maar ik realiseerde me dat er dan van

boven **De vouwstoelen en rustieke tafels zien er uitnodigend uit: de perfecte omlijsting voor een etentje in de tuin. Het is een verleidelijke gedachte de geiten als vierpotige grasmaaiers te zien, maar omdat geiten meer snuffelaars dan grazers zijn, hebben ze waarschijnlijk meer interesse voor het eten op tafel.**

links **De leistenen slingermuur omrandt en verdeelt deze door Roberto Silva ontworpen tuin. Achterin zorgt een vlonder voor een ruime zithoek die eenvoudig is ingericht met een tafel en wat stoelen.**

werken weinig terecht zou komen. De steeds veranderende stemmingen van de zee en het komen en gaan van vissersboten zou veel interessanter zijn geweest. Houd vooral wat werkplekken betreft het uitzicht eenvoudig. Vermijd drukke beplantingsschema's. Een mooie boom of goed verzorgde plant is veel geschikter dan een border vol bloemen die je het gevoel geeft dat je naar buiten moet om de uitgebloeide bloemen weg te knippen.

Een eenvoudige en beperkte beplanting brengt veel meer rust dan overvolle borders met een mengelmoes van talloze plantensoorten. Ben je een echte plantenliefhebber, dan kom je al gauw in de verleiding alle planten die je mooi vindt een plekje te geven, met als gevolg dat je tuin er meer uitziet als een plantenwildernis dan een rustige ruimte. Is een rustgevende tuin juist je doel, probeer dan deze neiging te onderdrukken en bereik meer met minder. Dit geldt ook voor kleuren: het gebruik van een sober palet is rustiger voor het oog dan een bonte kleurenverzameling, die juist te prikkelend kan zijn en zeker niet kalmerend is. Combineer geen kleuren die elkaar versterken, maar kies juist kleuren die subtiel in elkaar overgaan. Iedereen die het Engelse platteland kent, weet dat de verschillende groentinten en -vormen van de bossen en weiden een schitterende en vredige omgeving scheppen. Op kleinere schaal heeft dit gebruik van subtiele tinten in plaats van contrasterende kleuren hetzelfde effect.

In een tuin op het platteland kun je cultivars gebruiken van de plaatselijk groeiende wilde bloemen, zodat je tuin prachtig samensmelt met het landschap eromheen. Het voordeel van cultivars is dat ze de

helemaal links **Met een beplanting die de plaatselijke flora nabootst, betrek je de omgeving bij de tuin. In deze tuin vullen grote stroken *Geranium phaeum* de voorgrond en zigzaggen paadjes richting de sierlijk gebogen takken van een *Buddleja alternifolia*.**

links **Een gemaaid pad door grasland brengt je dicht bij prachtige grassoorten zonder ze te vertrappen. Het lichtspel op het gras schept een steeds veranderende sfeer.**

onder **Briljante beplanting in de tuin Sticky Wicket, ontworpen door Peter en Pam Lewis. De roodbruinig roze waas van het bloeiende nevelgras wordt onderbroken door de lollyachtige knoppen van *Allium cristophii* en roze scabiosa. De gedroogde zaadknoppen zorgen later in het jaar voor extra impact.**

Water is een prachtige verrijking. Houd de tuin rustig met beekjes die onopgemerkt stromen of vijvers met stilstaand water die hun omgeving reflecteren. Houd vormen eenvoudig – rechthoeken, vierkanten en cirkels.

goede eigenschappen van de wilde bloemen bezitten, maar meestal grotere bloemen dragen en een langere bloeiperiode hebben. Wees voorzichtig met echte wilde bloemen, tenzij ze van een betrouwbare bron komen; het plunderen van de plaatselijke flora is natuurlijk niet de manier om een vredige tuin te maken.

In een tuin met grote gazons kan een graspad dat door het lange gras slingert heel aantrekkelijk zijn. Lang gras dat beweegt op de wind heeft een rustgevende schoonheid die de kleurrijke bloemenschema's in gecultiveerde tuinen naar de kroon steekt.

De vorm van bladeren en de contouren van planten zijn elementen waar je rekening mee moet houden als je een tuin wilt aanleggen. Dit houdt niet in dat je altijd maar planten moet nemen met afgeronde bladeren en zachte lijnen; je moet planten kiezen die de sfeer van de tuin benadrukken. In een minimalistische tuin is een plant met architectonisch blad geschikter dan een roos, want hoe mooi ook, een roos valt uit de toon in een dergelijke setting.

Vandaag de dag lijkt een tuin niet compleet zonder een of andere waterpartij. En natuurlijk voegt water, mits het op de goede manier wordt toegepast, iets toe aan een rustgevende tuin. Een zacht borrelend fonteintje trekt de aandacht en je vergeet alles om je heen als je luistert naar het rustgevende geluid van het water en de bewegingen ervan ziet. Bedenk dat snelstromend water juist een opwekkend effect

rechts **Een rustig stromend beekje op een dakterras in Londen in een ondiepe trog van gegalvaniseerd metaal. De stenen in het water zijn een afspiegeling van de kiezels eromheen en een kronkelwilg werpt gevlekte schaduw.**

helemaal rechts **Stilstaand water is net een spiegel en reflecteert de omringende bomen en de lucht. Vermijd overhangende takken als je wilt voorkomen dat je vijver in de herfst boordevol bruine bladeren zit.**

links **Een bescheiden kleurenpalet brengt rust in een gecompliceerd beplantingsschema. De verschillende vormen, tinten en texturen in deze formele voortuin zorgen voor een aangenaam groen tapijtwerk. Lichte vleugen van andere kleuren halen het hoofdthema naar voren. Tuinen met kleurthema's zijn het indrukwekkendst wanneer andere kleuren subtiel zijn, anders is een saai plaatje het uiteindelijke resultaat.**

heeft en een moment van bezinning behoorlijk kan verstoren. Vermijd alles wat luidruchtig klatert of snel stroomt. Houd de tuin rustig met beekjes die ongemerkt stromen of vijvers met stilstaand water die de omgeving reflecteren. Houd de vormen simpel: gebruik liever rechthoeken, vierkanten en cirkels dan de fantasievormen die nog steeds populair zijn. Vergeet ook de praktische aspecten niet. Wanneer je een waterpartij in je tuin wilt aanleggen, is het verstandig een deskundige in te schakelen. De harmonieuze sfeer heeft te lijden van een slecht geïnstalleerde vijver die bij de minste aanleiding in een onheilspellende duistere groene poel verandert en eindeloos onderhoud vergt. Vind je de ingewikkelde pompen en filters, de bedrading en de watervoorzieningen sowieso veel te duur en tijdrovend, doe dan als de Chinezen en kweek waterlelies in grote, met water gevulde geglazuurde potten. Waterlelies houden van diep, stilstaand water en zullen zo prima groeien.

Klein of groot, naar binnen of naar buiten gericht, in elke tuin moet een plek zijn om te zitten. Houd er rekening mee dat de stijl van de meubels en de harde materialen passen bij de rest van de tuin. Betonnen tegels zien er mooi uit in een moderne stadstuin en vlonders zijn heel geschikt voor een plekje langs de waterkant, maar ergens anders zijn deze elementen misschien volkomen misplaatst. Wanneer rust je doel is, moet je zulke dissonanten natuurlijk voorkomen. Ook het meubilair moet zorgvuldig worden uitgezocht. Maar draaf niet door, want dan eindig je misschien met iets wat prachtig is om te zien, maar waar je onmogelijk op kunt zitten. Denk aan vorm en functie – en eenvoud.

Symmetrie en evenwicht

Voor een rustgevende tuin dien je rekening te houden met het verschil tussen symmetrie en evenwicht. Bij symmetrie wordt de ene helft van de tuin weerspiegeld door de andere, terwijl evenwicht verschillende elementen op een harmonieuze manier combineert. Symmetrie bereik je met je verstand, evenwicht met je gevoel.

links **Het donkere oppervlak van de ronde vijver is net een spiegel: het reflecteert de lucht erboven en zorgt voor nieuwe perspectieven. De bloeiende aar van de acanthus gaat bijna verloren tegen de achtergrond van de sagopalm, maar komt in de weerspiegeling helemaal tot zijn recht.**

boven **Paarsgewijs geplaatste buxuskegels versterken de symmetrie van deze formele tuin. Bovendien leiden ze het oog omhoog, boven de sterke horizontale lijnen van de vijver, het plaveisel en de geknipte heggen.**

Meestal hebben we een voorkeur voor óf symmetrie óf evenwicht. Symmetrie is geordend en voorspelbaar, evenwicht kan vloeiend en weelderig zijn. Weet je niet waar je de voorkeur aan geeft, dan bieden de foto's in dit boek misschien uitkomst. Houd je instinctief van formele regelmaat of trekt een wat vrijere vorm je meer aan? Bij de keuze voor een symmetrische of evenwichtige tuin speelt de vorm van je tuin ook een belangrijke rol. Het is veel lastiger symmetrie te bereiken in een asymmetrische dan in een rechthoekige tuin. En het is net zo moeilijk de invloed van geometrische vormen te negeren als je iets minder formeels in gedachten hebt. Hoe het ook zij, bedenk dat je eigen intuïtie vaak de beste leidraad is en dat analyses zoals hierboven pas echt nuttig zijn als je eigen gevoel je helemaal in de steek laat.

Het principe van een symmetrische tuin is dat de ene kant de andere kant weerspiegelt. Hoeken zijn gelijk, paden lopen in het midden of aan beide kanten langs het midden en ornamenten worden paarsgewijs geplaatst, met uitzondering van grote objecten die dienstdoen als blikvanger aan het einde van een doorkijk. Werkt de symmetrie, dan zorgt die voor emotionele en visuele voldoening. Maar schort er iets aan de symmetrie, dan zal de tuin eerder onrustig overkomen, en dat wilde je nu net vermijden.

Maak eerst een schets: met een liniaal en een geodriehoek (of een speciaal softwareprogramma) teken je zo een symmetrische tuin op papier. Al ben je een leek op dit gebied, je zult aan de hand van een schets al snel zien of bepaalde vormen bij elkaar passen. Bovendien wordt een opmerkelijk aspect van de symmetrische tuin onthuld: de tuin moet overdwars worden verdeeld in twee gelijke helften. Doe je hetzelfde in de lengte, dan zijn de verhouding zelden goed; hetzelfde geldt als je tuin in vier vakken verdeelt. Indien nodig kun je de tuin in drieën splitsen.

Paden in de tuin moeten een doel hebben. Dat klinkt misschien logisch, maar je ziet vaak

links **De formele gesnoeide laurierboompjes en hun houten bakken vormen een aantrekkelijk contrast met de rustieke afrastering en de moestuinbeplanting erachter. De boompjes tonen al aan dat de moestuin misschien minder formeel, maar nog steeds heel geordend is.**

rechts **De geometrische vorm die wordt gecreëerd door de drie stenen ballen in deze Ierse tuin wordt roemrijk ondermijnd door de ongesnoeide heg van bruine beuken. Het resultaat is een aangenaam evenwicht tussen formeel en informeel.**

genoeg dat een pad loopt van het huis naar een heg aan het einde van de tuin. Het pad kan toegang geven tot verschillende delen van de tuin, maar het ontbreken van een aankomstpunt kan teleurstellend werken. Je lost dit onmiddellijk op als je een voorwerp aan het eind van het pad plaatst dat de aandacht trekt. Een mooie pot met planten, een bankje om op te zitten en het uitzicht te bewonderen, een standbeeld of een water-element – ze lokken je allemaal naar het verste hoekje van de tuin.

Perspectief is een belangrijk element in dit soort tuinen en er zijn trucjes om een ruimte groter laten lijken. Een centraal pad dat geleidelijk steeds smaller wordt, doet het perceel langer lijken, een effect dat je nog kunt versterken als je langs het pad steeds kleiner wordende potten zet.

Vormsnoei is helemaal op zijn plaats in een formele tuin – de symmetrie wordt nog eens geaccentueerd. Als de ruimte beperkt is, komt vormsnoei het beste tot zijn recht als hij

helemaal links De antieke bank krijgt meer betekenis doordat aan weerszijden buxusbollen zijn geplaatst. De bank is felblauw geschilderd, zodat het verfijnde maaswerkpatroon mooi afsteekt tegen de achtergrond van bladeren en hij de kleur van de bestrating weerspiegelt.

links Terracottapotten met witte madeliefjes staan op verhogingen aan weerszijden van het pad. De bloempotten zijn omringd door gesnoeide buxushegen en trekken de aandacht naar de uiteindelijke bestemming: de mooie witgeschilderde bank aan het eind van het pad.

rechts Dit tafereel is aangenaam symmetrisch. Een gesnoeide boom ontvouwt zich als een groene parasol boven twee geschilderde houten stoeltjes en terracottapotten met buxusbollen.

boven Er is een prettig evenwicht in de ronding van deze informele heg, die terugkomt in het grindpad en de scherpe rand van het gazon.

links Een pad kronkelt in de richting van een half verscholen toren aan het einde van de tuin. Laaggroeiende bamboe flankeert de linkerkant van het pad, aan de andere kant lokt een rij grote stenen je naar het eindpunt.

beperkt blijft tot niet meer dan twee verschillende vormen. Bovendien moeten de vormen worden opgesteld in elkaar spiegelende paren, anders ontstaat er juist verwarring. In een grotere tuin heb je meer vrijheid. Mits het ontwerp strikt symmetrisch is, kunnen enkele variaties in vorm voor een wat luchtiger sfeer zorgen.

Niet iedereen reageert positief op de formele soberheid van een symmetrische tuin, ook al wordt de tuin verzacht door planten. Is een symmetrische tuin naar jouw smaak veel te geordend, dan voel je je misschien meer thuis in een evenwichtige tuin, waar zachte rondingen de vorm bepalen en moderne materialen de oude orde uitdagen en iets nieuws creëren, maar die ook in een 21e-eeuwse tuin een gevoel van rust brengen.

Op enkele uitzonderingen na is de evenwichtige tuin meestal minder gestructureerd dan zijn symmetrische tegenhanger en worden architectonische elementen geplaatst tussen een informele beplanting. Er zijn minder duidelijke richtlijnen dan bij de symmetrische tuin, dus kunnen we wat meer experimenteren. Raak je geïrriteerd als je geconfronteerd wordt met onzekerheden, dan is deze benadering niet geschikt voor jou. Je wilt uiteindelijk een rustgevende tuin, dus als die tuin je slapeloze nachten bezorgt, streef je je doel voorbij.

Voel je je juist aangetrokken tot deze stijl, dan zul je er misschien achter komen dat een

vorige bladzijden **In de tuin Sticky Wicket in Dorset (Engeland) accentueren de geometrische vormen van de cirkels de impressionistische beplanting. Een dergelijk natuurlijk uitziend effect vereist veel plantenkennis en zorgvuldig onderhoud, anders ziet de plek er uiteindelijk uit als een ooit formele, maar nu door onkruid overgenomen tuin. In het midden bevindt zich een rond kamilleveldje.**

links **Deze monolithische minimalistische stijl is niet geschikt voor lafaards en voor tuinliefhebbers met een zwak voor zachte beplanting. De tuin heeft echter een prachtige sobere schoonheid. Een boom probeert in te breken over de muur, maar binnen de grenzen 'verzacht' slechts een vierkant lapje gras de binnenhof, dat meer met architectuur dan met horticultuur te maken heeft.**

Misschien heb je een sterk instinctief gevoel voor kleuren en vormen die harmonieus bij elkaar passen. Een tuin op gevoel ontwerpen kan een verrukkelijk bevrijdende bezigheid zijn. Je voelt je niet beperkt door de regels en de mode en je maakt een tuin die helemaal jouw smaak is.

evenwichtige tuin veel moeilijker op papier te zetten is dan een geometrische tuin. Curven kun je beter in de grond aangeven en als je voorwerpen wilt plaatsen, moet je verschillende plekken uitproberen. Is het object zelf daarvoor te groot of te zwaar, gebruik dan een lichter voorwerp dat ongeveer dezelfde vorm en afmeting heeft. Je kunt alle kanten op met wat riet en een bolletje touw, een stoel of een trap en wat fantasie. Sluit je ogen half en controleer het effect van de positionering op de rest van de tuin. En houd vooral ook rekening met wat je erbij voelt en niet alleen wat je denkt.

We hechten vaak veel te weinig waarde aan onze intuïtie. Onterecht, want ingeving is juist een heel bruikbaar hulpmiddel. Wanneer een kunstwerk een opbeurend en verrijkend effect op ons heeft, hoeven we niet per se de principes van verhoudingen of perspectief te begrijpen of de kleurentheorie machtig te zijn. De positieve emotionele reactie is net zo waardevol als een vakkundige analyse van het doek. Op een vergelijkbare manier weet jij misschien niets van het ontwerpen van tuinen, maar heb je een enorm gevoel voor kleuren en vormen. Een tuin op je gevoel inrichten, kan een heel bevrijdende bezigheid zijn. Je hoeft je niet te houden aan regels of het modebeeld te volgen en maakt een tuin die helemaal van jou is.

Dit betekent niet dat de vrijheid wat evenwicht betreft helemaal onbeperkt is, maar de beperkingen die er zijn, komen van jezelf en zijn niet van buitenaf opgelegd. En de manier waarop jij de balans bereikt waarnaar je zoekt, is alleen afhankelijk van je persoonlijke oordeel. Dit kan allemaal vrij esoterisch klinken, maar dat is het niet. Voel je je gelukkig in je tuin en er is niets dat je wilt veranderen, vertrouw dan op dat gevoel. Dan heb je je eigen rustgevende plek al, ongeacht de modevoorschriften of de mening van anderen.

Of je nu een evenwichtige of symmetrische tuin voor ogen hebt, je moet altijd rekening houden met de architectuur van je huis en de omgeving. Misschien wil je dolgraag een tuin vol wilde bloemen en plekjes waar de natuur zijn gang kan, lang gras en een gemengde heg. Maar als de omlijsting een straat in een stad is, lijkt je tuin eerder verwaarloosd dan wild, wat weer verontwaardiging bij de buren kan veroorzaken – en zo wordt je 'rustgevende' tuin een twistpunt in plaats van een rustpunt. Op dezelfde manier heeft een modernistisch huis een tuin nodig die in overeenstemming is met de architectuur en geen tuin in ouderwetse stijl, want die maakt het totaalbeeld ongemakkelijk.

rechts **Gesnoeide buxusvierkanten geven deze door Tania Compton ontworpen landschapstuin een formele symmetrie die wat wordt verzacht door een beplanting van rozen en overblijvende planten. In de zomer worden de heggen overstelpt door bloemen die de in de wintermaanden zo duidelijke geometrische vormen verhullen.**

boven **Het is wel duidelijk waarom Monet zo hield van taferelen als deze. De drijvende bloemen, de weerspiegelingen, de dieren die een vijver aantrekt: ze nodigen je allemaal uit om lekker te blijven hangen, te kijken of gewoon te ontspannen.**

rechts **Een met wijnranken bedekte pergola zorgt voor schaduw op een stenen terras waar een tafel en stoelen een belofte inhouden van etentjes in de openlucht met familie en vrienden. Bij schemering zorgen lantaarns voor verlichting. De tuin is de perfecte plek om een mooie zomeravond door te brengen.**

Overpeinzing en ontspanning

Houd bij het ontwerpen van een rustgevende tuin altijd in gedachten dat het gebruik ervan net zo belangrijk is als het uiterlijk: vorm en functie moeten in balans zijn. In het ideale geval is de tuin multifunctioneel en biedt hij ruimte voor gezinsactiviteiten en gezelligheid, maar ook rustige plekjes en verscholen hoekjes waar je rustig kunt nadenken.

De gevoelens die we krijgen bij de woorden overpeinzing en ontspanning zijn nogal uiteenlopend. Overpeinzing, die vaak wordt gezien als een eenzame bezigheid, klinkt zwaar en serieus en heeft zelfs een spirituele dimensie. Ontspanning gaat meer over lichamelijke reactie en gezelligheid. Wil je een tuin die voor beide mogelijkheden biedt, dan moet je je bewust zijn van de verschillen.

Er is een lange geschiedenis van grote en diepe gedachten die in een tuin plaatsvinden: vanaf het eerste zelfbewustzijn van Adam en Eva toen ze hun naaktheid in de Hof van Eden overpeinsden, tot Newtons formulering van de zwaartekrachttheorie nadat hij een vallende appel op zijn hoofd kreeg. Hoewel de meesten van ons waarschijnlijk niet de loop van de geschiedenis zullen veranderen of een wetenschappelijke ontdekking doen terwijl we in gedachten verzonken in de tuin verblijven, kunnen we ons wel door historische tuinen laten inspireren en onze tuin verrijken met elementen die al eeuwenlang worden gebruikt ter bevordering van het overdenken.

Kloostertuinen, zentuinen en Perzische tuinen hebben met elkaar gemeen dat ze de betekenis van het leven proberen te doorgronden. Zen legt de nadruk op meditatie en bezinning als methode om zelfkennis te krijgen; de symbolische tuinen staan voor het pad naar verlichting. De symmetrie, de orde

en het symbolisme van de Perzische tuin zijn een aardse voorstelling van het paradijs. Het woord 'paradijs' komt oorspronkelijk uit het Perzisch; het woord *pardeiza* betekent omheinde ruimte. Water was het centrale, essentiële element in deze tuinen, want water zorgde voor vruchtbaarheid en verkoelde de lucht. Maar water was vooral een metafoor voor het kijken in de ziel. Waterpoelen geven immers een afspiegeling van iemands beeld en dus was de tuin een plek voor spirituele reflectie. In de Middeleeuwen waren de kloostertuinen van de monastieke orden over het algemeen onversierde graspercelen, waar monniken konden

helemaal links Nog een comfortabele stoel erbij en deze prachtige stenen zuilengang met de vormgesnoeide 'wachters', die uitkijkt over een formele vijver, is de perfecte plek om een boek van Jane Austen te lezen en van Mr Darcy te dromen.

links Vanaf een houten steiger is een vijver goed te bestuderen. De steiger is praktisch en aangenaam en maakt de vijver toegankelijker. Trek je schoenen uit, ga op de steiger zitten en laat je benen lekker in het water bungelen: ontspanning ten top!

linksonder Een tuinhuisje moet altijd zo ver mogelijk verwijderd zijn van het huis – een plek om naar toe te gaan om het gezinsleven even te ontvluchten, een geheimpje met iemand te delen of gewoon even in alle eenzaamheid te genieten.

rechts Water geeft leven aan alles wat ademt, het is ontspannend en verdiept de gedachten. Een vijver met planten en dieren is zowel gunstig voor jou als voor het milieu.

boven **Dit charmante tuinhuisje is een tweede thuis met zijn mooie schilderwerk, meubilair en plantenpotten in de vensterbank. De oorsprong laat zich raden: een schuurtje.**

onder **Een stuk hout vastgeknoopt aan een touw en aan een boom gehangen: een heel eenvoudige schommel en een uitnodiging voor iedereen om even te stoppen en te spelen.**

rechts **Een antieke metalen bank is een geschikte keuze voor een stadstuin. Onder en rondom de bank bevindt zich lavendel, tegen de muur een geurige klimroos en aan weerszijden een lindeboompje. Het is een privé-hoekje waar je heerlijk een boek in de zon kunt lezen of in de avond kunt relaxen met een drankje.**

bidden zonder afgeleid te worden. In de tuinen waar geneeskrachtige planten werden gekweekt voor het verlichten van het lijden van zieken, overdachten de monniken hun sterfelijkheid. Aan één kant van het klooster was vaak een halfronde tuin –'het paradijs' – die voorzag in de bloemen voor de versiering van altaren en kapellen.

Al deze tuinen bevatten elementen die je misschien zelf in je tuin wilt hebben. De vormen en materialen met symbolische betekenis van de zentuin zijn geschikt voor een moderne stadstuin, de beekjes en overdenkingspoelen van de Perzische tuin zijn ideaal voor een formele compositie, en de geneeskrachtige kruiden van de monniken passen prima in een landschapstuin. In alle gevallen helpen deze elementen een bepaalde gemoedstoestand teweeg te brengen en vredige gedachten te bevorderen.

Ontspanning stelt minder hoge eisen. Je vindt ontspanning al in een ligstoel of een hangmat tussen twee bomen, liggend in het gras en kijkend naar de lucht of in gezelschap van vrienden aan tafel. Kortom: overal waar jij

boven **Dit scherm van olijfwilg langs een dakterras in Londen biedt privacy en beschutting. De olijfwilg wordt laag gehouden, zodat het uitzicht niet wordt belemmerd, want het heeft zijn eigen stedelijke charme, vooral 's nachts, als er overal lichtjes branden.**

links **Een bureau met een perfect uitzicht: opgeruimd, verfrissend en inspirerend. De blik kan even op iets prettigs rusten, zonder dat de gedachten te veel worden afgeleid. Als je thuiswerkt, is het heel verleidelijk iets anders te gaan doen dan waarmee je bezig bent.**

je lekker genoeg voelt, waar je de zorgen van alledag opzij kunt zetten en eventjes helemaal niets hoeft te doen.

Met een beetje denkwerk kan dezelfde plek zowel de overpeinzing als de ontspanning bevorderen. Iedereen die wel eens bij dageraad door de tuin heeft gelopen, weet dat er dan een volledig andere sfeer hangt dan later op de dag. Zo anders dat je nauwelijks kunt geloven dat het dezelfde tuin is. In de vroege ochtendschemer is de tuin een mysterieuze plek, waar je schepsels ziet die je later op de dag niet meer tegenkomt. Heb je deze ervaring nooit gehad, dan is het de moeite waard een poging te wagen: je ziet je tuin in een fris licht (letterlijk) en voelt hoe rustgevend hij kan zijn.

Zoals de tuin er op verschillende momenten van de dag heel anders uitziet, zo kun je ruimten creëren die je gedurende de dag op verschillende manieren gebruikt. Een rustig moment van bezinning kun je hebben staand naast een vijver, waarin je de wolken voorbij ziet drijven, terwijl diezelfde plek op een later tijdstip ideaal is voor het lezen van een boek. Een tuinhuisje of paviljoen is een 'ver land' voor avontuurlijke kinderen, een ontspannende plek voor een gezellig theekransje in de middag of een vlucht uit de herrie

Maak ruimte voor een schommel. Weet je nog dat je als kind op de schommel ging zitten als je ergens over na moest denken? Ook als volwassene werkt dat nog steeds.

rechts **Een schommel werkt heel aanlokkelijk.** Of je jezelf nu waant in het schilderij 'De schommel' van Fragonard of denkt aan de tijd dat jij of je kinderen steeds hoger geduwd wilden worden, schommelen roept herinneringen op.

helemaal rechts **Op de veranda buiten kun je even onttrekken aan het gezinsleven binnen.**

van het gezinsleven 's avonds. Deze vertrekken, of het nu gaat om een tuinhuisje of schuurtje, paviljoen of ware tempel, moeten ver genoeg verwijderd liggen van het huis willen ze de functie als toevluchtsoord kunnen vervullen. Is het vertrek te dicht bij het huis, dan wordt het daar een soort verlengstuk van waar ook de rest van het gezin komt, net als jij probeert een momentje voor jezelf te vinden.

In Amsterdam hebben de 17e-eeuwse grachtenpanden tuinhuisjes achter in de tuin. Sommige zijn indrukwekkende stenen bouwsels met marmeren vloeren, andere zijn van hout met decoratieve figuurzaagwerken, terwijl weer ergens anders de traditie voortleeft in de vorm van een modern bouwwerk. De functies van de huisjes zijn net zo divers als de stijlen van de architectuur, maar ze hebben één ding gemeen: ze zijn ver verwijderd van de invloed van het huiselijke leven en kunnen als toevluchtsoord worden gebruikt.

Boomhutten zijn van oudsher het terrein van kinderen, maar steeds vaker bouwen volwassenen zulke hutten voor zichzelf. Heel anders dan de van oude planken en kisten gefabriceerde schuilplaatsen

links **De curve van deze hangmat bootst perfect de contour van de boog erboven na, maar de niet meegevende stenen vloer eronder is niet ideaal. Je kunt een hangmat beter boven gras of een ander zacht oppervlak hangen.**

die ik me uit mijn jeugd herinner, zijn sommige exemplaren echte, in bomen geplaatste kamers, zoals het arendsnest van de Zwitserse familie Robinson, compleet met stoelen, tafels en bedden en zelfs elektriciteit en stromend water. Andere beperken zich tot hooggelegen uitkijkposten, maar in alle gevallen bieden ze de perfecte mogelijkheid om te relaxen en avonturen uit de kinderjaren op te roepen.

Hetzelfde geldt voor schommels en hangmatten, want ontspanning heeft per slot van rekening net zoveel met plezier te maken als met rust. Ook al zijn er niet vaak kinderen in je tuin, je kunt altijd een schommel plaatsen – geen moderne speelplaatsschommel, maar gewoon een ouderwets exemplaar dat je aan de boom hangt. De kinderen die op bezoek komen, zullen verrukt zijn en ook volwassenen zullen er zeker gebruik van maken. Weet je nog dat de schommel een favoriete plek was als je over iets moest nadenken? Nu je volwassen bent, heeft de schommel nog steeds dezelfde uitwerking. Hangmatten zijn zowel een bron van vermaak als het ultieme ontspanningsmiddel. Het vermaak begint al wanneer je toekijkt hoe mensen in een hangmat proberen te kruipen zonder te vallen. De ontspanning volgt als ze er eindelijk in geslaagd zijn. Een hangmat hoort op in een afgelegen hoekje van de tuin te hangen waar je niet gestoord wordt.

Het vinden van rust en stilte in een stad is moeilijk, maar daktuinen, balkons en terrassen tillen je uit boven het rumoer en bieden een aangenaam buitenleven voor mensen die het grootste deel van de dag binnen doorbrengen. Ideaal voor dit soort

rechts **Een eenvoudige houten bank weggestopt in de hoek van dit gebouw biedt privacy, een schuilplaats of beschutting tegen de regen.**

helemaal rechts **Een rustieke tafel en stoel zijn heel geschikt voor deze open plek in het bos. De meubels zijn gemaakt uit grof materiaal en kunnen het hele jaar door buiten blijven staan, zodat ze altijd beschikbaar zijn voor onverwacht bezoek.**

hoge stadstuinen is een laag scherm van planten dat voor beschutting en privacy zorgt wanneer je zit, maar dat het uitzicht niet belemmert. Dit gevoel van ruimte is heel waardevol als je niet op het platteland woont.

Een ouderwetse veranda of een terras bij het huis biedt plek voor momenten van overpeinzing vroeg in de ochtend of 's avonds, maar is vooral een informele 'verzamelplaats'. Vaak is er bij de plaatsing rekening gehouden met het klimaat. De veranda ligt beschut, soms in de schaduw en is gemakkelijk bereikbaar. Het is de plek waar familie en vrienden samenkomen voor dineetjes in de openlucht, voor het uitwisselen van vertrouwelijkheden of voor een siësta in een comfortabele stoel. Potten met favoriete planten vinden hier vaak hun plek en het verzorgen ervan, vooral als ze ook nog eens heerlijk zoet ruiken, is een ontspannend tijdverdrijf voor degenen die niet lang stil kunnen zitten.

Een tuin bedoeld voor overpeinzing en ontspanning heeft veel zitjes nodig, zoals stoelen in verscholen hoeken, waar je je

links Vandaag de dag worden boomhutten niet alleen voor kinderen, maar ook voor volwassenen gemaakt. In beide gevallen zijn ze een ideale plek om de tuin – of zelfs het leven – vanuit een ander perspectief te bekijken. Voordat je begint te bouwen moet je controleren of de hut niet uitkijkt op de tuin van de buren en of je een vergunning nodig hebt.

rechtsboven Losse hoezen en synthetische vullingen zijn het geschiktst voor tuinmeubelkussens. Laat je ze onverhoopt een nacht buiten liggen, dan kun je ze gerust wassen en drogen.

rechtsonder Een rustig bankje achter in de tuin, waar je de telefoon en andere aandacht opeisende zaken kunt ontvluchten. Het is een plek om na te denken, te dromen of verder te lezen in een mooi boek (een of twee kussens is geen slecht idee).

gedachten de vrije loop kunt laten, bankjes op zonnige plekken omringd door geurige planten waar je vertrouwelijkheden kunt uitwisselen en vouwstoelen die je eenvoudig kunt verplaatsen om, afhankelijk van het seizoen, de zon of juist de schaduw op te zoeken. Met zorg geplaatste stoelen in de tuin onthullen de mooiste uitzichten aan bezoekers, of moedigen ze aan even uit te rusten bij de vijver of een ander tuinelement dat de moeite van een nadere beschouwing waard is. Heerlijke stoelen met kussens in een tuinhuis lokken je naar binnen om te schuilen voor een zomerse regenbui. Het heeft iets verrukkelijk frivools om op zo'n plek te wachten tot de bui over is zonder meteen naar huis te hoeven rennen.

Buiten eten is een van de grootste geneugten van het leven, mits je het jezelf niet te moeilijk maakt. In het ideale geval bevinden de tafel en stoelen zich dicht bij de keuken, want op die manier bevorder je spontane etentjes in de openlucht, want je besluit sneller het kamp naar buiten te verplaatsen. Het kan een aantrekkelijk idee zijn om helemaal achter in de tuin te eten, maar de realiteit is dat iemand steeds op en neer moet lopen, wat niet altijd bevorderlijk is voor de huiselijke harmonie. Achter in de tuin kun je best eens picknicken, maar zet voor een diner de tafel en stoelen op een geschiktere plek.

De meeste tuinmeubels zijn een compromis tussen duurzaamheid en comfort, aangezien ze bestand moeten zijn tegen allerlei weersomstandigheden. Een grote hoeveelheid kussens is dus vaak onontbeerlijk. Zorg voor een grote mand met kussens op de veranda, in het tuinhuisje of het schuurtje, zodat je ze zo kunt pakken en opruimen. Zorg ervoor dat je ze kunt wassen. Woon je ergens waar de winters koud of vochtig zijn, bewaar de kussens dan binnenshuis op een warme plek, anders worden ze muf. Details als deze lijken onbelangrijk, maar als ze een reden tot irritatie of discussie zijn, hebben ze een nadelige invloed op de rustgevende sfeer van de tuin.

Speciale plekjes

Elke tuin heeft plekjes met een bepaalde betekenis, bijvoorbeeld door een voorwerp, een plant of een uitzicht. Het kan een aandenken aan een liefde of juist een groot verlies zijn, een kunstwerk of zelfs een prachtige boom die er ooit als zaadje begonnen is.

Wat maakt een plek speciaal? Dat is jouw band met de plek en de manier waarop die relatie is ontstaan. Misschien gaf die plek je troost bij tegenslag, rust in een hectische tijd of de mogelijkheid tot een vlucht uit een probleemrijke wereld. Maar het hoeven niet de grote ervaringen in je leven te zijn die het verband leggen. Soms gaat het over kleine geneugten: de eerste sneeuwvlok in hartje winter, de prille vliegpogingen een jonge vogel, het plukken en proeven van de eerste peren, oftewel eenvoudige dingen die een band

rechts Een deur op een kier is een uitnodiging om op onderzoek uit te gaan. Wat zou zich achter de deur bevinden?

helemaal links Een spiraal van verzamelde vuurstenen op een met mos bedekte tuin in Dorset (Engeland), trekt je naar het midden toe. Het hele jaar door is deze door Ivan Hicks ontworpen tuin bijzonder: een koel rustpunt in de zomer, boeiende landkunst in de winter.

links Deze moderne Londense, door Roberto Silva ontworpen tuin krijgt een heel andere sfeer als hij tijdelijk wordt bedekt met een tapijt van roze kersenbloesems.

rechts **In een tuin in Beverly Hills doet een oude balustrade uit het huis Falcon's Lair van Rudolp Valentino op een geweldige manier dienst als reling van een sfeervolle wandelgang die leidt naar een tuinhuisje achter in de tuin.**

scheppen met een bepaalde plek in de tuin. Wanneer het leven gecompliceerd wordt, kun je naar die plek gaan of die plek in je verbeelding bezoeken en er troost in vinden.

Een speciale ruimte kan iets van jou alleen zijn, maar ook van meerdere personen. In het tweede geval, kan dit de plek worden waar je aangeeft hoe je over elkaar of over de tuin denkt. Wees selectief wat betreft de keuze met wie je dit doet, anders loop je het risico de plek en de vriendschap te verliezen.

Soms heeft een speciale plek geen verfraaiing nodig, maar het kan heel leuk zijn wat decoratieve persoonlijke tintjes toe te voegen. 'Gevonden voorwerpen' uit de tuin zijn vaak het beste. Ze hebben een integriteit en vanzelfsprekendheid die aangeschafte materialen soms missen. Dit soort decoratie is een overblijfsel van de grotschilderingen, dolmens en menhirs van onze vroege voorouders.

links In de tuin van Mirabel Osler schept een doorgang met spiegel de illusie van nog een tuin: zichtbaar maar niet bereikbaar – het ultieme speciale plekje. Als de spiegel zo gedraaid wordt dat je jezelf niet meteen ziet als je nadert, wordt de illusie nog versterkt. Houd de spiegel wel goed schoon, anders houdt de illusie geen stand.

onder De pracht en waardigheid van een beeld van deze kwaliteit vervelen nooit. Een gekoesterd aandenken aan een verre reis en dus ook een herinnering aan een mooie tijd. Zo'n mooi kunstwerk geeft de tuin iets extra's en verdient een met zorg uitgezocht plekje.

Maar ook een kunstwerk van je favoriete kunstenaar kan een perfecte aanwinst zijn voor jouw speciale ruimte. Zorg ervoor dat de decoratie een bepaalde betekenis heeft, anders maakt het slechts deel uit van het meubilair en voegt het niets toe. Kunstwerken, mits toepasselijk, geven een plek structuur en doen dienst als blikvangers. Na verloop van tijd veranderen ze door de weersinvloeden en gaan ze op in hun omgeving.

Gaan kunstwerken boven je begroting of trekt het idee je gewoon niet aan, overweeg dan minder kostbare alternatieven. In kringloopzaken kun je tegen van alles aanlopen: van gebroken zuilen tot oud metaal. Deze elementen kunnen je tuin karakter en een gevoel van historie geven. Ga er eens kijken: misschien kom je wel het perfecte voorwerp tegen een bodemprijs tegen.

Met spiegels kun je je tuin groter laten lijken en de indruk wekken dat er nog een tuin is, vooral als de spiegel zo gedraaid is dat de bezoeker zichzelf er niet in ziet. Spiegels brengen bovendien licht de tuin in. Op dezelfde manier verandert gebrandschilderd glas een doodgewone tuin in een magische plek als je het zo plaatst dat de zon door de prachtige kleuren schijnt.

Een van de verleidelijkste elementen in een tuin is een deuropening in een muur. Het roept herinneringen aan je kinderjaren op en een fantasiewereld uit boeken als *De geheime tuin* van Frances Hodgson Burnett en de *Kronieken van Narnia* van C.S. Lewis. Enkele jaren geleden was ik verdwaald diep in de landschappen van Somerset. Toen ik aankwam bij de rand van een onbekend dorp stopte ik bij een muur om me te

Kunstwerken geven een plek structuur en doen dienst als aandachttrekkende blikvangers. Na verloop van tijd gaan ze verweren en vormen ze een harmonieus geheel met hun omgeving.

helemaal links Tuinkunst hoeft helemaal niet duur te zijn. Deze windklok is gemaakt van platgeslagen lepels en een oude bel aan vissersgaren.

links Ontwerper Ivan Hicks maakte een kunstwerk voor in het bos van een kegelvormige stapel stenen op een oude stenen lijst.

rechts Een prachtige urn van leisteen gemaakt door beeldhouwer Joe Smith: een heel bijzonder en beeldschoon voorwerp. Het werk heeft geen opsmuk nodig en hier is de beplanting eromheen heel terecht laag gehouden.

helemaal links **Twee takken in de vorm van een boog aan het begin van een graspad dat zich door een bloemenwei slingert, vormen een perfecte omlijsting voor de boom in de verte, die anders misschien onopgemerkt zou blijven.**

links **De takken aan de rand van de wei zijn een afspiegeling van de poort van de tuin en stimuleren je om op onderzoek uit te gaan, omdat je benieuwd bent wat erachter ligt.**

oriënteren. Ik keek op van de kaart en zag een deur in de muur, met daarop het simpele opschrift NAAR DE TUIN. Als een personage uit Alice in Wonderland voelde ik me gedwongen om op onderzoek uit te gaan, opgewonden maar ook een beetje bang: wat zou zich achter de deur bevinden? Gelukkig ben ik niet in een put gevallen en ook niet oog in oog komen te staan met de Rode Koningin. In plaats daarvan kwam ik in de tuin die ooit toebehoorde aan de beroemde *plantswoman* Margery Fish – een gedenkwaardig bezoek waardoor tussen mij en die plek een bijzondere band is ontstaan.

Eenvoudige toevoegingen hebben vaak meer effect dan grootse decoraties. Als je een uitzicht omlijst, moet het uitzicht en niet de omlijsting de aandacht trekken. De omlijsting zorgt voor een passend kader. Als de omlijsting veel te bombastisch is leidt ze alleen maar af. Verfijndheid verdiept de ervaring. Een afbuigend pad dat leidt naar een onzichtbare bestemming, een wat verscholen hekje in een heg, een deur op een kier in een muur – ze nodigen stuk voor stuk uit om op onderzoek uit te gaan en het plezier dat je beleeft als je een prachtig uitzicht of een verborgen tuin ontdekt, is enorm. Een gevoel van mysterie verlevendigt een tuin en impliceert onthulling.

Ook planten leveren een aanzienlijke bijdrage aan een speciale plek. Je kunt ze gebruiken om iets te omheinen, te verbergen, te omlijsten of je

links Aan het einde van dit pad geven een spitsvondige, zelfgemaakte afrastering en boog het achterste deel van de tuin een gevoel van afscheiding, zonder de ruimte helemaal te verbergen. Een dicht hek zou de tuin veel kleiner doen lijken.

rechts Een graspad met door planten verzachte randen leidt naar een houten deuropening, waardoor je verleid wordt op onderzoek uit te gaan. Achter de deur bevindt zich misschien niets, maar door zijn aanwezigheid lijkt de ruimte groter.

lievelingsplekje te omringen. Hun kleuren, geuren en texturen helpen de stemming te bepalen en benadrukken. Een schaduwrijke tuin kun je opvrolijken met witte bloemen, die zorgen voor licht en contrast. Een bosrijke plek wordt heel romantisch als die zachtjes wordt verlicht door wit vingerhoedskruid en witte Turkse lelies. Een zonnig hoekje waar heerlijk geurende lavendel en rozemarijn een stenen zitje omringen en kruipende tijm rond de tuintegels groeit, wordt gevuld met allerlei kleuren en geuren. Klimplanten die je langs een muur omhoog laat kruipen en die een poort versieren, hebben zowel iets geheimzinnigs als iets onthullends. Soms is een enkele plant het enige dat je nodig hebt, vooral in een moderne minimalistische tuin – ruisend bamboe dat zachtjes beweegt in de wind, een architectonische plant die voor dramatische schaduwtekeningen op een geschilderde muur zorgt, een afgelegen boom die de stenen eromheen verzacht. Kortom: de juiste plant op de juiste plek.

Soms is het de plant zelf die de plek speciaal maakt. Misschien een roos die is opgekweekt uit een stekje uit de tuin van je kindertijd, een souvenir van een fijne vakantie of een boom uit een zaadje geplant door je kind, dat inmiddels het huis uit is. Zulke planten zijn beladen met

betekenis en scheppen een levende band tussen jou en je tuin.

Mijn eigen tuin is bezaaid met zulke planten en als ik een wandelingetje maak, haal ik herinneringen op en denk ik aan familie en vrienden. Zo staat er de olijfboom die ik heb meegenomen uit Toscane als jong boompje en die nu zo'n drie meter hoog is; een blauwe overblijvende korenbloem die in de hele familie bekendstaat als 'Mrs. Bottomley', ter ere van de persoon die ons de eerste kleine plant uit haar tuin schonk en die voor mij heel veel betekenis heeft. Een perfecte, sterk geurende roze roos, gekregen als stek van een roos die groeide op het graf van de dichter Omar Khayyam. Ik heb deze roos geplant in de tuin van het eerste huis waar ik als volwassene woonde. Bij de eerste verhuizing heb ik de roos in een pot geplant. Vervolgens heeft de roos twintig jaar in diezelfde pot doorgebracht, verhuizend van de ene naar de andere tuin, en uiteindelijk heb ik mijn speciale plek gevonden en was ik er klaar voor de roos in de tuin te planten.

helemaal links **Een oude stenen zuil doet een vroegere, meer formele tuin vermoeden. De in figuren gesnoeide struiken spreken de sfeer van verlatenheid tegen en tonen aan dat het effect opzettelijk is.**

linksboven **Een deuropening in een muur als toegang tot een tuin: romantischer kan het niet.**

linksonder **Een door zijn eenvoud prachtige houten bank met de initialen van een paartje verandert deze open plek in het bos in een plek voor afspraakjes.**

Rust voor de zintuigen

kalmerende kleuren

kalmerende texturen

licht en schaduw

Detail is in een rustgevende tuin net zo belangrijk als ontwerp en indeling. Je kunt de sfeer van je tuin voor een deel bepalen met de juiste kleuren en texturen en met licht- en schaduweffecten. Laat je leiden door je gevoel – als een kleur, een textuur of een lichtspel je rustig maakt en bevalt, heeft dat een gunstig effect op het totaalbeeld.

Kalmerende kleuren

De rustgevende tuin heeft een subtiel en bescheiden kleurenpalet nodig, waar planten zich vermengen in harmonieuze veldjes. Koele, zachte en pasteltinten vullen de vredige sfeer aan.

De zachte, kalmerende aanwezigheid van groen is de kern van een rustgevende tuin. De ontelbare tinten van het blad vormen de basis en zijn de achtergrond voor de bloemen. De kwetsbare schoonheid van bloemen komt nog beter uit in een zee van groen.

Al dat groen verandert onophoudelijk van kleur: van het frisse, felle groen in de lente en het donkere groen in de zomer tot de gedaanteverwisselingen in de herfst en de rijke, glanzende bladeren van groenblijvende en de grijsgroene kleurschakeringen van de coniferen in de winter. In zijn gedicht *The Garden* sprak Andrew Marvell (1621-1678) van een 'green thought in a green shade'. Nu, bijna vierhonderd jaar later, begrijpen we nog steeds wat hij bedoelde, want we zoeken vaak een koel, bebost hoekje in de tuin waar we in alle rust kunnen nadenken.

Ook in een rustgevende bloementuin overheerst groen vaak; de andere kleuren moeten eerder complementerend dan contrasterend zijn. Wit, crème, roze, blauw en paars vormen een harmonieus geheel en ook zachtgeel past hierbij. Maar contrasterende kleuren als oranje, felrood en felgeel kun je beter vermijden, aangezien deze kleuren de groentinten intensiveren en het effect minder rustgevend maken. Een tuin met weinig of geen blad, of eentje waar het blad ondergeschikt is aan de bloemen, kan indrukwekkend zijn, maar is zelden echt kalmerend.

boven **De in sterren opengebarsten bloemhoofden van look (Allium) blijven wekenlang mooi en de zaadknoppen die erop volgen zijn ook decoratief.**

links **In de vroege lente zie je haast geen roze bloemen; de bloemen van deze *Clematis macropetala* zijn een uitzondering.**

rechts **Aan de voet van een heg is het lange gras niet gemaaid om look (*Allium*) en fluitenkruid ongestoord te kunnen laten bloeien. De kleur van dit look is net een tint donkerder dan de bloesems aan de judasboom (*Cercis siliquastrum*).**

rechts Het diepe blauw van de dagbloem is een van de aantrekkelijkste kleuren in de tuin en de kortstondigheid van de bloei draagt nog meer bij aan zijn schoonheid.

onder Wanneer bloemen zich ontwikkelen van knop tot volledig ontloken bloemen, verandert hun kleur. De kersrode kleur van dit ontvouwende look (*Allium*) wordt zachter met de leeftijd.

helemaal rechts De bloeiwijze van de kleurrijke en bijzondere *Primula vialii* lijkt op die van een wilde orchidee: piepkleine bloempjes gaan achter elkaar in een periode van veel weken open. De roestkleurige kegel aan de top van het bloemhoofd verbergt de ongeopende knoppen.

Denk maar aan de bollenvelden waar grote kleurstroken het landschap doorsnijden. Of aan bloemtapijten met hun drukke patronen. Beide trekken de aandacht, maar werken niet rustgevend.

Maar ook als je van felle en bonte kleuren houdt, hoef je niet te wanhopen. Het kleurenpalet mag dan beperkt zijn, de verscheidenheid van tinten is dat niet. Donkere paarstinten gecombineerd met roze en diepblauw scheppen een zeer kleurrijk tapijtwerk en zachtere beplantingen zien er altijd interessanter uit als er enkele donkere tinten in verwerkt zijn.

Als je de planten door elkaar laat groeien, meng je de kleuren als een impressionistisch schilder. Dit gaat het eenvoudigst als je onregelmatig gevormde veldjes met een oneven aantal planten plant. Deze methode kan zelfs in een formele tuin heel goed werken.

VOLGENDE BLADZIJDEN
linksboven **Het paarskleurige Thaise of heilige basilicum is niet zo sterk als zijn groene verwant, maar door de rijke, donkere kleur is het de moeite waard deze plant te kweken.**

linksonder **De canna is een tere plant, maar de prachtige kleuren van de architectonische bladeren en de felle bloemaren zijn de moeite waard.**

midden **De staalblauwe bloemen van *Eryngium bourgatii* hebben een aantrekkelijk distelachtig uiterlijk. In het avondlicht wordt de kleur dieper.**

rechts **Een wandeling over dit graspad langs de zachte kleuren en bedwelmende geuren van marjolein (*Origanum*), cipressenkruid (*Santolina*) en kattekruid (*Nepeta*): een genot voor de zintuigen.**

helemaal linksboven **Ammi *majus* is een tere, gecultiveerde vorm van fluitenkruid en wordt meestal gekweekt als wintervaste plant.**

midden boven **De tinten van de *Astrantia major* variëren van wit tot roze en rood.**

linksboven **Het vingerhoedskruid (*Digitalis purpurea* f. *albiflora*) is statig aanwezig in een border of bostuin.**

helemaal linksonder **Deze witte tuberozen zijn uitstekende potplanten voor in de volle zon.**

midden onder **Witte lissen bloeien kort maar prachtig.**

linksonder **Bloeiende grassen, zoals *Eriophorum angustifolium*, hebben een subtiele schoonheid.**

BLOEMEN MET KALMERENDE KLEUREN

Agapanthus (tuberoos)

Alium

Ammi majus (groot akkerscherm)

Astrantia major (Zeeuws knoopje)

Cerinthe

Clematis macropetala

Digitalis purpurea f. *albiflora* (wit vingerhoedskruid)

Eryngium bourgatii (zeedistel)

Helleborus orientalis (kerstroos)

Hesperis matronalis (damastbloem)

Hydrangea

Ipomoea (dagbloem)

Iris

Lavandula (lavendel)

Nepeta (kattekruid)

Nigella (juffertje-in-'t-groen)

Origanum (marjolein)

Papaver somniferum (maankop)

Randen van buxus of andere elementen geven de zachte beplanting erbinnen definitie en structuur. Een dergelijke beplanting is echter niet geschikt voor een symmetrische opstelling en ziet er al snel rommelig uit.

Tuinen met een bepaald kleurthema zijn populair en kunnen heel kalmerend werken. De White Garden in Sissinghurst is een goed voorbeeld: witte, zilverkleurige en grijze planten vormen een serene en inspirerende plek. Hoewel het kleurenpalet beperkt is, is er een enorme verscheidenheid aan subtiele tinten die prachtig samenvloeien.

Kleuren verschillen enorm van moment tot moment. Blauw- en wittinten zien er 's middags hard of verbleekt uit, maar in de schemering krijgen ze een lichtgevend effect. Zulke metamorfosen zijn de kern van de rustgevende tuin.

helemaal links Een groen-geschilderde bank herhaalt de kleur van het omringende blad en het gras eronder. Deze subtiele kleuring is ideaal in een rustgevende tuin.

links Varens zoals deze *Dryopteris dilatata* zijn perfecte planten voor een schaduwrijke bostuin.

onder Dit door heggen omzoomde en door bomen overschaduwde, bladerrijke pad lokt je steeds verder de tuin in. In deze setting is geen kleur nodig, alleen maar groen.

rechts Het schitterende groen van de blaadjes van de jonge struisvaren (*Matteuccia struthiopteris*) in een volmaakte weergave van natuurlijke schoonheid.

Kalmerende texturen

Elke plant, elk oppervlak in de tuin heeft een textuur en een bepaalde band met de omgeving. Kalmerende texturen hebben meer te maken met deze verhouding dan met hoe een blad of een steen aanvoelt.

Aan de hand van een zentuin kunnen we de verhouding tussen verschillende texturen duidelijk maken. De tijdloze en vredige schoonheid van zentuinen is een erfenis van de boeddhistische monniken die de tuinen ontwierpen. De monniken maakten symbolische tuinen die het pad naar de verlichting voorstelden en konden op die manier de grondbeginselen van zen aan hun volgelingen uitleggen.

Elke rots, boom of struik is geplaatst met de grootste zorg en heeft een speciale betekenis. Een horizontaal geplaatste rots kan de lucht voorstellen, een verticale de aarde. Maar de rots kan ook, afhankelijk van de vorm en plaats, een eiland of zelfs een dier zijn. Een gesnoeide struik symboliseert drijvende wolken en het gebruik en de vorm van kleine kiezels, grind en

boven **De lichte ronding en gladde afwerking van de vlonder contrasteert aangenaam met de verschillende texturen van het ruwe leisteen en de gemengde kiezels. Een tapijt van bloesems zorgt voor tijdelijke zachtheid.**

linksboven **Een plezierige opstelling van materialen en texturen: een plankier gaat over in betonnen treden en een lage muur die leidt naar betonnen stapstenen. De harde oppervlakken worden wat verzacht door de ronde stenen eromheen. Een grasachtige plant geeft nog meer zachtheid.**

rechtsboven **De gladde texturen en het lineaire ontwerp van het raam van geëtst glas en de paneelmuren worden geaccentueerd door de houten planken, die loodrecht op het gebouw zijn gelegd. Alles verandert wanneer de vlonder de stenen ontmoet.**

onder **Soms is variatie in afmetingen alles wat je nodig hebt om textuur te benadrukken.**

gravel scheppen een sfeer die meditatie bevordert.

De elementen zijn bescheiden, eenvoudig en geraffineerd. Er is niets overbodigs of frivools en je wordt niet in de verleiding gebracht een lievelingsbloem te plaatsen of een stoeltje in een zonnig hoekje te zetten. In de zentuin heeft alles een betekenis en het kijken ernaar kan een diepgaande belevenis zijn. Dit betekent niet dat elke rustgevende tuin het zenmodel moet volgen, maar dit model kan een inzicht geven in hoe je

links **Een echt buitenvertrek. Deze tuin is aangekleed en versierd met contrasterende texturen – een tapijt van grind, verschillende oppervlakken op de geverfde muren, betonnen banken met gevlochten kussens en een bamboetafel. De boom in de hoek is het enige levende element in deze tuin.**

PLANTEN MET KALMERENDE TEXTUREN

Artemisia 'Powis Castle' - varenachtig blad

Ballota pseudodictamnus - wolachtig blad

Bamboe - varenachtig blad

Eryngium alpinum - stekelig varenachtig blad

Eschscholzia (slaapmutsje) - zijdezachte bloemblaadjes en varenachtige bladeren en bloemen

Varens - opkrullend blad

Foeniculum vulgare (venkel) - varenachtig blad

Hosta - scherp getekend, generfd blad

Papaver somniferum (slaapbol) - zijdezachte bloemen en varenachtig blad

Pelargonium tomentosum - harig, varenachtig blad

Romneya coulteri - papierachtige bloemen en varenachtig blad

Salix caprea (katwilg) - fluweelachtige katjes en scherp getekend blad

Salvia officinalis (salie) - scherp getekend, ruw blad

Sedum - scherp getekend, vlezig blad

Stachys lanata - scherp getekend, wolachtig blad

Stipa tenuifolia - harige pluimen

Thalictrum - varenachtig blad

Verbascum olympicum - scherp getekend, wolachtig blad en bloemaren

zachte en harde elementen succesvol combineert. Ook hier speelt je eigen gevoel weer een heel belangrijke rol. Als het naast elkaar plaatsen van twee verschillende texturen je een goed gevoel geeft, dan is het vaak ook goed. Bekruipt je daarentegen een onbestemd gevoel, experimenteer dan verder.

Texturen aanraken geeft je de meeste duidelijkheid. Houd een gladde steen in je hand en kijk hoe je hem steeds omdraait, pak een handjevol grind en strooi dat van de ene hand in de andere en laat wat zand tussen je vingers door glijden. Deze tastervaringen onthullen wat je band is met deze materialen. De reactie is niet altijd positief: sommige mensen haten zand (het herinnert ze bijvoorbeeld aan de 'knarsende' broodjes op het strand), terwijl anderen niet gek zijn op grind, aangezien ze graag blootvoets door de tuin lopen. Als je voordat je je op de tuin stort ontdekt hoe je reageert op verschillende texturen, creëer je een omgeving die geheel is afgestemd op jouw voorkeuren.

Maar een rustgevende tuin bestaat natuurlijk niet alleen uit ronde stenen en fluweelachtige bladeren. Het is juist de verhouding tussen de verschillende elementen die telt en we zien vaak dat contrast beter werkt dan texturen of vormen die te veel op elkaar lijken. Denk aan een border waarin alle planten hetzelfde blad hebben of aan een tuin waar elk oppervlak hetzelfde is – het resultaat is eerder saai dan rustgevend.

Sommige woorden die textuur of vorm beschrijven, klinken 'zacht', zoals rond, gebogen, glad, golvend. Deze kunnen worden gebruikt bij de keuze van texturen die je in je tuin kunt opnemen, vooral wat de oppervlakken betreft – plaveisel, trappen, muren en waterpartijen. De materialen die je voor deze elementen gebruikt, komen het best tot hun recht als ze afgestemd zijn op de omgeving. Glad beton, leisteen en metaal voelen zich helemaal thuis in een stedelijke context, terwijl rustiek hout en verweerde bakstenen harmoniëren met een landschapstuin. Deze gevoeligheid voor de omgeving is een onderdeel van wat de tuin rustgevend maakt – je moet valse noten vermijden. Stel je eens een stadstuin voor met een cottagetuinboog, compleet met rozen, in een minimalistische omgeving. Excentriek, dat wel, maar zeker niet rustgevend.

De materialen waarvan de huizen en gebouwen in jouw straat zijn gemaakt, kun je ook als richtlijn nemen. Zijn de huizen gebouwd van graniet, dan valt een tuin met zandsteen uit de toon. Plaats de twee materialen denkbeeldig naast elkaar, zodat je een idee krijgt of je keuze geschikt is. In dit geval past leisteen veel beter bij graniet dan zandsteen. Als het materiaal goed is, wordt de textuur minder belangrijk. En als de verharding van de tuin eenmaal klaar is, wordt het veel eenvoudiger geschikte planten erbij te vinden.

Er zijn net zo veel texturen als er planten zijn. De verschillen, soms overduidelijk, soms subtiel, zijn net zo belangrijk als kleurenvariaties. Bekijk een lijst met beschrijvingen van planten en hun texturen: zacht en harig, stevig en vlezig, diep geplooid, stekelig, donzig of doornachtig. Je

links Dit stadsterras waar texturen overheersen en planten een stapje terug doen, vereist niet meer dan een paar uur onderhoud per jaar. Een eenvoudig vierkant latwerk omheint het gebied en de weinige planten die ertegenaan groeien vestigen de aandacht op de tuin. Onregelmatig gevormde blokken *York stone* zijn verzonken in gladde kiezels. Het terras is omzoomd door beton, dat een diepe uitsparing heeft voor een barbecue of vuurtje.

rechts Deze ruwe stenen muur heeft iets monumentaals. Gewoon als blok zou de muur een opgesloten gevoel geven, maar afgewisseld met de stenen zuilen krijgt de muur veel meer betekenis. Planten zouden de aandacht van de kracht van de muur afleiden en het eenvoudige grastapijt lijkt helemaal geschikt.

reageert net zo sterk op textuur als op andere details. Maak een wandelingetje door je tuin en controleer hoe vaak je je hand uitstrekt om een bepaalde bloem aan te raken, over een blad te strijken of de gladheid van schors te voelen. Je hersenen registreren niet altijd wat je doet, maar net zoals het aaien van een huisdier rust kan geven, is deze 'tasttocht' door de tuin een kalmerende bezigheid. In de meeste tuinen zijn texturen van ondergeschikt belang, maar als je een rustgevende tuin maakt, kun je heel bewust je favoriete oppervlakken, schorsen en patina's kiezen. Ze houden de tuin nog lang mooi nadat de bloemen zijn verwelkt. Net zoals verschillende kleuren patronen in de tuin creëren, zorgt een combinatie van texturen voor ritme en variatie.

Vanaf een afstand gaat textuur over vormen en contouren – we kunnen tenslotte geen planten aanraken van veraf. Maar interessante silhouetten en contrasterende vormen lokken je dichterbij, tot je dichtbij genoeg bent om de plant aan te raken. Nu komt de textuur in het spel. Oppervlakken – van bladeren, stelen, schors, vruchten en zelfs bloemen – hebben hun karakter net zozeer te danken aan hun textuur als aan hun kleur en in tuinen waar het aantal kleuren beperkt is, is textuur van essentieel

helemaal links Een vierkant terrasje van arduinsteen en roze baksteen dat uitkomt op een grindtuin.

links Dit informele pad heeft treden van oude spoorbielzen en grind. De planten doen het goed in het grind. Ze verzachten de randen van het pad en zaaien zichzelf gemakkelijk uit.

boven De opgekrulde uiteinden van hostabladeren drukken zich omhoog door een schijnbaar niet plantvriendelijke omgeving van kiezels en stenen. Op de foto overheerst nog de harde architectuur, maar zodra de bladeren van de hosta open zijn, domineert de plant.

rechts Dit is een tuin vol contrasterende texturen, die niet allemaal even goed bij elkaar passen. Een plankenpad loopt over een droge tuin met scherp getekende, lineaire planten, zoals palmen, grassoorten en *Phormium*.

boven Dit stapelmuurtje van leisteen uit Wales is mooi en praktisch. Het verdeelt de tuin al kronkelend in verschillende gebieden. De ruwe textuur contrasteert mooi met de gebogen vorm.

rechts Verschillende materialen vormen een interessant patroon in deze tuinvloer. Op de voorgrond zie je rechte planken gelegd in stenen, die je de tuin inlokken, waar je aan weerszijden langs het met eenvoudige tegels bestrate middenstuk kunt lopen.

linksboven **Deze stenen, net brokstukken van een vergaan plaveisel van een oude ruïne en zorgvuldig geplaatst tussen kiezels, zijn nadrukkelijker aanwezig dan conventionele bestrating.**

rechtsboven **Dit pad met patroon heeft een prachtig patinalaagje door ouderdom. Natuurlijke materialen, zoals steen, baksteen en tegels, worden op een mooie manier oud en worden subtieler naarmate de jaren verstrijken.**

belang om eentonigheid te voorkomen. Omschrijf een blad als rimpelig, generfd, ruw, glad, glanzend, mat, stekelig, doornig of harig en je realiseert je al snel hoe verschillend bladeren zijn, niet alleen wat het uiterlijk betreft, maar ook wat betreft het effect dat ze hebben op het totaalbeeld. Glanzende oppervlakken lijken dichterbij dan ze eigenlijk zijn, terwijl matte afwerkingen tegenovergesteld werken en de neiging hebben terug te wijken.

Er zijn drie basisvormen van blad in de tuin: scherp getekend of krachtig, lineair en varenachtig. De eerste categorie omvat grote bladeren, zoals *Fatsia*, *Gunnera*, *Rheum* en *Hosta*. Deze bladeren zijn geliefd in tropische of architectonische beplantingsschema's. De tweede bestaat uit zwaardvormig blad en veel grassoorten. De zachtere vormen, waaronder natuurlijk de varens, behoren tot de derde categorie. Als je deze vormen combineert, ziet je tuin er meteen boeiend uit. Vind je het nog steeds moeilijk de invloed te begrijpen die textuur op beplantingsschema's heeft, neem dan eens zwartwitfoto's van je tuin. Zodra kleur

buitenspel wordt gezet en niet meer afleidt, treedt textuur op de voorgrond. Zien de foto's er monotoon uit, dan is het misschien tijd voor wat meer contrasterende texturen.

Planten met krachtige bladeren geven de tuin inhoud, maar houd rekening met de verhoudingen. Als je een grote plant van dit type in een kleine tuin plaatst, is er geen plek meer voor iets anders – prima als je een eenvoudige, minimalistische tuin hebt, maar heel beperkend als dat niet het geval is. Bedenk ook dat sommige planten, zoals de *Gunnera*, in de winter helemaal afsterven en er weinig overblijft van hun anders zo indrukwekkende aanwezigheid. Op kleinere schaal zorgen hosta's voor het mooiste krachtige blad in de tuin. De grote geplooide of gerimpelde bladeren hebben een prachtige textuur en de variatie in kleur maakt ze nog aantrekkelijker. Maar ook deze bladeren hebben hun beperkingen, want ze zijn het lievelingshapje van slakken en hun bladeren gaan eruitzien als kant als deze dieren hun gang gaan. Om dit probleem te voorkomen, kun je hosta's planten in potten waar je kopertape omheen wikkelt of een ander afschrikmiddel.

Hoewel niet alle lineaire planten grassoorten zijn, vormen ze wel de grootste groep. Ze bestaan uit alles wat grasachtig is: van reusachtige bamboes tot de mooi compacte *Festuca glauca*. Gras in al

linksboven *Stipa gigantea* is de statigste van alle grassoorten. Vanaf de basis stuwt deze plant een spectaculaire fontein van grote bloeiende stengels omhoog, die in de zomer goudkleurig brons worden.

midden boven *Briza maxima* is bekender als trilgras, een perfecte naam voor deze tengere eenjarige plant met onophoudelijk bewegende zaadknoppen. Je hebt meteen zin om je vingers erdoor te halen.

rechtsboven Vooral dankzij de bronsachtig rode bladeren en grote pluimen van de tere paarse bloemhoofdjes is *Panicum virgatum* 'Shenandoah' een bijzonder aantrekkelijke grassoort.

rechts *Stipa tenuissima* is een van de 'aaibaarste' grassoorten: zachtgroen, harig blad met een bronzen tintje aan het uiteinde. De textuur doet denken aan die van poppenhaar.

zijn vormen en maten is een van rustgevendste texturen in de tuin. En niet alleen de siergrassen – denk maar eens aan je gazon en het genot dat je ervaart als je er met blote voeten overheen loopt of op je rug in het gras ligt en naar de lucht kijkt. Beide zijn belevenissen die je terugbrengen naar je kinderjaren of een andere zorgeloze tijd. Heb je geen van beide lange tijd gedaan, dan heb je twee van de zuiverste geneugten die je in de tuin kunt beleven misgelopen.

De afgelopen jaren zijn siergrassen steeds populairder geworden, want de informele beplanting heeft de geordende borders uit het verleden steeds meer verdrongen. Het verzachtende, vloeiende gras is helemaal op z'n plek in moderne tuinen, zowel op het platteland als in de stad. Gras is heel gemakkelijk te kweken, niet veeleisend en ziet er het hele jaar door prachtig uit. Zelfs in de winter zien de droge stelen en zaadhoofden er nog mooi uit, vooral als ze bedekt zijn met rijp. Bovendien zijn ze belangrijk voor de dieren: nuttige insecten overwinteren tussen het droge gebladerte en de zaadknoppen zijn een waardevolle voedselbron voor vogels. Je hoeft gras niet bij te knippen. Je kunt het beter in de lente dan in de herfst snoeien, uitdunnen of verdelen. Hiermee voorkom je rotten, dat meestal

helemaal links **Niet iedereen houdt van de kattentongachtige ruwheid van het salieblad.**

deze bladzijde **Vetplanten zijn bijzonder aaibaar. Of de bladeren nu groot zijn of klein, ze zijn alle onweerstaanbaar. De bladeren houden vocht vast en daarom groeien de planten goed op droge plekken, zoals boven op een deurpost of in een ondiepe schaal. Door hun bescheiden voorkomen vallen ze niet erg op, maar van dichtbij gezien hebben de planten prachtige variaties wat vorm en kleur betreft.**

boven **Voordat jonge hostabladeren helemaal zijn geopend, zie je de contrasterende kleur en textuur van de onderkant. Het observeren van deze geleidelijke veranderingen is een van de geneugten van een rustgevende tuin.**

rechts **Waterdruppels hangen aan het varenachtige blad van een venkelplant. De plant aanraken als hij nat is, is een heel andere, niet noodzakelijkerwijs plezierige, ervaring, dan wanneer je je vingers langs de droge plant haalt.**

wordt veroorzaakt door water dat in de wortelrozet komt.

De derde basisvorm – varenachtig – omvat natuurlijk veel varensoorten. Sommige varens doen het heel goed in droge schaduw of op andere probleemplekken, en hun tere bladeren contrasteren zacht met de andere, wat hardere vormen. Op zonnige, open plekken zijn andere planten met varenachtig blad geschikter, zoals *Thalictrum*, *Artemisia*, *Eschscholzia* en *Senecio cineraria*.

Het is handig om lijsten met planten van de verschillende categorieën te hebben als je een beplantingsschema wilt maken. Een van de beste manieren om zo'n lijst op te stellen, is naar een goed tuincentrum te gaan en van elke categorie op

Hosta's zorgen voor prachtige vormen in de tuin. De grote geplooide of rimpelige bladeren hebben een schitterende textuur.

te schrijven welke planten je mooi vindt. Hierdoor verbreed je niet alleen je plantenkennis, je krijgt bovendien een veel beter beeld van de verschillende vormen, die bij een piepkleine alpiene plant net zo belangrijk zijn als bij een vijf meter hoge bamboe.

Bij het maken van je keuze worden ook andere categorieën en subcategorieën duidelijk, en hier komt de textuur echt om de hoek kijken. Planten met wollige bladeren, zoals de *Stachys lanata* (ezelsoren), zijn onweerstaanbaar. De grote koningskaars (*Verbascum olympicum*) heeft juist reusachtige krachtige, wollige bladeren en bloemaren met goudkleurige bloemen. Noteer als je een lijst maakt ook de planten die je aanraakt. Rozen kunnen prikken, maar de bloemblaadjes zijn zijdezacht. Sedums worden meestal gekocht om hun felle herfstbloemen en omdat ze vlinders aantrekken, maar hun koele, vlezige bladeren zijn heel fijn om aan te raken. Venkel wordt gezien als keukenkruid, maar het varenachtige blad is prachtig en het is een heel aangenaam kietelig gevoel als je tegen de haren instrijkt. De texturen in een rustgevende tuin hebben dus net zoveel te maken met aanraken als met zien.

links **De tere, zich ontrollende bladeren van de tongvaren (*Asplenium scolopendrium*) hebben niet het gebruikelijke varenachtige blad van het geslacht. De glanzende, meer leerachtige bladeren zijn mooi lineair.**

links **Fel licht heeft de neiging alle kleuren behalve de felste bleek te maken. In deze tuin is de schaduw welkom vanwege de koelte die hij brengt en omdat hij de ogen rust geeft.**

rechts **De meerkleurige bladeren van een yucca zijn ook aantrekkelijk door het spel van licht en schaduw op de plant zelf en op de omgeving.**

Licht en schaduw

De wisselwerking tussen licht en schaduw brengt leven in de tuin en beïnvloedt de sfeer. Het licht verandert onophoudelijk, soms haast ongemerkt, soms heel plotseling. Zonder deze variatie zou de tuin een veel minder boeiende plek zijn en zou veel van de magie verloren gaan.

Onze ogen passen zich voortdurend aan het licht aan. We zijn ons er dan ook niet altijd van bewust dat een bepaald uitzicht of zelfs één enkele bloem er bij verschillende lichtinvallen of -sterkten heel anders uitziet. In de rustgevende tuin is het nuttig deze veranderingen te observeren. Het is een aangename bezigheid en misschien steek je er wat van op en kun je wijzigingen of verbeteringen aanbrengen. Kijk hoe het licht door de planten schijnt op de grond eronder en patronen tot stand brengt. Ga op je rug liggen onder een boom en kijk hoe het licht de bladeren belicht. Of ga bij de vijver zitten en bekijk het lichtspel in het water. Gebruik een camera als onpartijdige toeschouwer. Foto's genomen van hetzelfde tafereel op verschillende momenten van de dag, laten je zien hoeveel invloed het steeds veranderende licht heeft.

Terwijl de zon zich beweegt over de tuin, ondergaat het licht veel veranderingen. Bij dageraad is het licht zacht en verspreid; het begint vrij koel en grijs. Hoe hoger de zon, hoe 'warmer' het licht. De dageraad is het favoriete moment van de dag voor tuinfotografen: planten zien er fris uit, hebben vaak een laagje dauw en er zijn geen sterke contrasten of schaduwen. Tegen het middaguur is de tuin overgoten met licht en schaduw. In direct zonlicht kunnen alleen de felgekleurde planten de strijd aan, andere zien er al snel wat bleekjes uit. Schaduwplekken ontbreekt het aan scherpte en hier zijn het juiste de vale kleuren die opvallen. Als de avond valt, worden de schaduwen langer, wordt het licht weer zachter en dompelt de tuin zich onder in een gouden gloed voordat hij verdwijnt in de duisternis.

links Aantrekkelijke glazen lantaarns opgehangen op verschillende hoogten aan de tak van een boom werpen een zacht schijnsel op de omgeving. Heb je geen glazen lantaarns, dan kun je ook gewone jampotten met kaarsjes of waxinelichtjes ophangen aan touw.

rechts Slinger speldenprikverlichting door viooltjes met donkere bladeren, zodat de kleur en waterdruppels worden geaccentueerd

helemaal rechts Fakkels zijn een geweldige manier om de tuin te verlichten bij een speciale gelegenheid. Je kunt ze tussen planten zetten en een pad laten afbakenen of gewoon als versiering gebruiken. Zet ze niet te dicht bij de rand van paden, anders kunnen kleren vlam vatten.

Richt je tuin zo in dat je het best mogelijke gebruik maakt van het natuurlijke licht: een welkome plek.

De tijd van het jaar en de weersomstandigheden hebben natuurlijk ook invloed op het licht. Zelfs op een bewolkte dag zijn er verschillen waar te nemen. Onder een dik wolkendek lijkt de tuin vlak, maar als de wolken dunner worden, brengen lichtstralen of -vlekken de tuin weer tot leven. Bij warm weer of bij veel luchtvervuiling is het licht vaak vaag, terwijl bij zonnig winterweer of na een regenbui het licht kristalhelder kan zijn.

We hebben geen controle over de seizoenen of het weer, maar licht en schaduw kunnen een positieve bijdrage leveren aan de tuin. Binnenshuis pas je het soort verlichting aan het doel aan (fel licht om bij te lezen en gedempt licht voor gezellige hoekjes). Op dezelfde manier kun je een tuin zo inrichten dat je het natuurlijke licht optimaal gebruikt. Een schaduwtuin is aantrekkelijker wanneer poelen van gevlekt licht de verste uithoeken verlichten.

boven **Het licht schijnt door een kronkelwilg en maakt een kantachtig patroon op het water in een ondiepe gegalvaniseerde trog. De stenen benadrukken een subtiele compositie die anders misschien onopgemerkt zou blijven.**

rechts **De stenen tafel op dit terras zorgt voor een koele, schaduwrijke plek voor maaltijden buiten. Als de avond valt worden de lantaarns boven de tafel aangestoken: een perfect etensplekje.**

Ze lokken je ernaartoe en brengen diepte. Is er geen direct licht, dan kun je een soortgelijk effect bereiken met meerkleurig blad of witte bloemen. Omgekeerd hebben zonnige tuinen schaduwplekken nodig om definitie te scheppen.

Licht en schaduw hebben invloed op het uiterlijk van een tuin, maar ook op hoe een tuin aanvoelt – kil of warm. In een overwegend schaduwrijke tuin is het mooi om in ieder geval een klein stukje met zonlicht te hebben om je in te koesteren, en in een zonnige tuin is de schaduw van een boom een welkome verkoeling tegen de hoge zomertemperaturen. Vandaag de dag zijn de meesten van ons voorzichtig met blootstelling aan direct zonlicht, vooral rond het middaguur. Maar het is altijd aangenaam een plekje te hebben waar je van de ochtend- of avondzon kunt genieten, ook al is dat niet dicht bij het

Een afgelegen bank die de laatste zonnestraaltjes opvangt, lokt je naar buiten om te genieten van de rust en stilte in de tuin. Is er een betere manier om bij te komen van een dag hard werken?

links **Het lichtspel op het water van dit zwembad van natuursteen is veel verleidelijker dan het zou zijn op een zwembad met conventionele tegels. Plekken met zon en schaduw rondom het zwembad zijn heerlijke plaatsen om te relaxen, zowel voor zonaanbidders als schaduwliefhebbers.**

linksboven **Een rustieke lantaarn geeft subtiele verlichting bij een romantisch etentje in de openlucht.**

rechtsboven **Dit tuinhuisje vangt op een perfecte manier de zon op en is een ideale plek om je terug te trekken na een dag hard werken en te genieten van de rust en stilte.**

huis. Een bankje dat de laatste zonnestraaltjes opvangt, lokt je naar buiten om van de stilte en rust van de tuin te genieten. Is er een betere manier om van een dag hard werken bij te komen?

Wanneer je een nieuw huis koopt, is het verstandig de verkopers te vragen waar de zon opkomt en ondergaat. Nog beter is het om op verschillende momenten van de dag het huis te bezoeken, zodat je het licht zelf kunt aanschouwen. Toen ik mijn huis kocht, merkte ik pas toen ik er ging wonen dat de zon 's avonds vrij snel achter de heuvels verdwenen was. Het huis staat namelijk op de beboste westelijke helling van een vallei. Het huis ligt natuurlijk heerlijk beschut tegen de heersende winden, maar ik zou best eens een wandelingetje willen maken in de warme avondzon.

Lantaarns, kaarsen, fakkels en feestverlichting zorgen voor licht bij een maaltijd in de openlucht en geven de tuin sfeer bij speciale gelegenheden.

De nachtelijke tuin is een plek van duisternis en mysterie, dus is het niet zo verwonderlijk dat mensen zich niet snel buiten wagen in het donker, ook al is de tuin overdag nog zo vertrouwd. Helaas is de enige verlichting in de meeste tuinen alleen voor veiligheidsdoeleinden en net zo flatterend voor de omgeving als de lantaarnpalen op grote parkeerterreinen. Hoewel het aanbrengen van mooi ontworpen tuinverlichting behoorlijk prijzig kan zijn, is de metamorfose het waard. Een goede verlichting geeft een gewone tuin iets toverachtigs: de zo bekende tuin lijkt ineens heel nieuw en het is nu veel aantrekkelijker om langer buiten te zitten. Voor zo'n specialistisch onderwerp is deskundig advies raadzaam. Draadloze verlichting op zonne-energie wordt steeds meer gebruikt, maar meestal geven deze lampen weinig licht en het ontwerp laat nogal eens te wensen over. Als deze mankementen eenmaal tot het verleden behoren, biedt dit soort verlichting veel mogelijkheden voor de tuin.

Op een veel kleinere schaal kun je lantaarns, kaarsen, feestverlichting en fakkels gebruiken om een bepaalde sfeer te scheppen bij speciale gelegenheden. Kerstboomverlichting kun je om planten leggen en rond pergola's laten slingeren als je buiten een stopcontact hebt, maar ze moet wel geschikt zijn voor buiten. Drijfkaarsen veranderen een vijver en een met kaarsen verlichte tafel op het terras is de perfecte omlijsting voor een romantisch etentje. Lampions aan bomen zijn zowel exotisch als praktisch.

helemaal links In deze tuin in Los Angeles weerspiegelt de feestverlichting langs de klimplanten aan de pergola de stadslichtjes die ver beneden twinkelen.

links Een binnenplaatsje in Londen komt 's nachts tot leven wanneer de waxinelichtjes in de Marokkaanse theeglazen, de lantaarn en de glimmende koperen schaal worden aangestoken.

boven De prachtig gepoetste koperen schaal gloeit van het weerkaatste licht en versterkt het effect van de waxinelichtjes.

rechts Deze glazen kaarsenhouders zijn zowel mooi als praktisch – de kaarsen zijn veilig opgeborgen en branden beter omdat ze beschut zijn tegen tocht.

Geur en geluid

aromatische planten

kruiden

koel water en ruisende briesjes

Sluit je ogen in een rustgevende tuin en de magie behoudt haar werking want je andere zintuigen worden scherper. De geur van geparfumeerde bloemen en aromatische kruiden hangt in de lucht en zal je omringen zonder dat je visueel wordt afgeleid. Bij het inademen van die geur word je je bewuster van de kalmerende geluiden om je heen – klaterend water, ritselende bladeren of het lied van een vogel.

rechts **Een cottagetuin boordevol bloemen zou zonder geur veel minder aantrekkelijk zijn. Hoe mooi de rozen ook zijn, we ervaren hun schoonheid pas echt als we onze neus erin steken, zelfs als we de ogen sluiten.**

Aromatische planten

De geur van planten vinden we vaak net zo belangrijk als hun uiterlijk. Er zijn planten die helemaal niet zo bijzonder zijn, maar die we kopen om hun geur, zoals reseda (*Reseda odorata*) en zomerviolier (*Matthiola bicornis*), terwijl andere planten tegenvallen als ze niet ruiken zoals we verwachten. Rozen of lathyrussen zonder geur verliezen hun waarde.

Onze liefdesrelatie met aromatische bloemen kent een lange geschiedenis. De Egyptenaren kweekten de heilige lotus om zijn weelderige en bedwelmende geur. De Romeinen waren zo gecharmeerd van de roos dat ze fonteinen vulden met de bloemblaadjes en de Perzen vonden het distillatieproces uit om de essentiële olie aan rozen te onttrekken. In de Middeleeuwen werden in Europa aromatische bloemen geschonken als bewijs van liefde en sommige hadden ook een religieuze betekenis. De lelie was het symbool van vruchtbaarheid en zuiverheid en eeuwenlang stond op schilderijen van de annunciatie een lelie afgebeeld die werd vastgehouden door de Maagd Maria of een engel.

Onze reukzin werkt anders dan de andere zintuigen, aangezien de reukzenuwen direct afstevenen op de emoties. Geur en herinnering zijn onlosmakelijk met elkaar verbonden en een bekende geur roept altijd bepaalde gebeurtenissen uit het verleden op. Als je voor het eerst lavendel rook in de tuin van je oma op een zomerdag

PLANTEN MET GEURENDE BLOEMEN

Winter: *Hamamelis* (toverhazelaar)

Sarcococca humilis

Viburnum x *bodnantense* 'Dawn'

Lente: *Convallaria majalis* (lelietje-van-dalen)

Daphne odora 'Aureomarginata'

Mahonia aquifolium (mahoniestruik)

Zomer: *Hesperis matronalis* (damastbloem)

Jasmijn, gewone of sterjasmijn

Lathyrus odoratus (lathyrus of pronkerwt)

Lavandula (lavendel)

Lilium candidum (madonnalelie)

Lonicera (kamperfoelie)

Matthiola bicornis (zomerviolier)

Paeonia lactiflora (pioen)

Philadelphus coronarius (boerenjasmijn)

Phlox paniculata (herfstsering)

Reseda odorata (reseda)

Rosa gallica var. *officinalis* en andere

tijdens een fijne vakantie, roept lavendel dat gevoel van geluk op. En als je hart is gebroken onder een kamperfoelie, zal deze geur altijd geassocieerd worden met verdriet. Voordat je je eigen aromatische tuin gaat aanleggen, is het interessant eens te kijken hoe je reageert op de planten die je in gedachten hebt. Geur is zo subjectief dat aanbevelingen van anderen niet altijd geschikt zijn.

De concentratie van de etherische oliën, waaraan bloemen hun geur te danken hebben, is het hoogst aan het begin van de dag. Daarom worden rozen die in parfum worden verwerkt bij dageraad geplukt. Naarmate de kracht van de zon toeneemt, verdampen de oliën en

links **In een wildebloemenwei klautert een prachtige witte roos door een naburige boom – het bewijs dat deze tuin lang geleden verlaten is.**

wordt de geur verspreid in de lucht. Als je door een zonnige tuin loopt en die zoete geuren opsnuift, adem je letterlijk geparfumeerde lucht in.

Tuingeuren veranderen met de seizoenen. Zelfs hartje winter parfumeren geurige planten de lucht. Bij toverhazelaar blijf je even staan, net zoals bij de winterbloeiende *Viburnum* en *Sarcococca*. Plant ze dicht bij een veelgebruikt pad of terras, tenzij je in de winter wel eens een ommetje maakt door de tuin. In de vroege lente verspreiden de mahoniestruik (*Mahonia aquifolium*) en *Daphne odora* 'Aureomarginata' een heerlijke geur. Lelietje-van-dalen kun je het beste plukken en binnenshuis zetten om van de lekkere geur genieten. Natuurlijk zijn er ook allerlei lekker ruikende bolgewassen, zoals witte en gele narcissen, hyacinten en zelfs tulpen met een zoete fresiageur – 'Ballerina' is een van de lekkerste.

Met de zomer in aantocht heb je keuze uit heel veel geuren: de kauwgomgeur van boerenjasmijn, de citroengeur van pioenen, de muskusachtige geur van herfstsering. Net zoals in de parfumeriezaak kun je alles van subtiel tot overheersend kiezen.

Geurige bloemen komen het best tot hun recht in een zonnige, beschutte tuin, want de zon concentreert de oliën en de beschutting zorgt ervoor dat de geur blijft hangen en niet vervliegt. Dit effect kun je versterken als je planten laat groeien over prieeltjes, tuinhuisjes, bogen, en pergola's, die de geur 'vangen'. Een mengsel van rozen, kamperfoelie en jasmijn (zowel *Jasminum officinale*, gewone jasmijn, als sterjasmijn of Toscaanse jasmijn, *Trachelospermum jasminoides*) zorgt voor een langdurige geur. Hoewel het bloeiseizoen vrij kort is, zorgt

boven **De witte en roze bloesems van deze ouderwetse pronkerwt of siererwt zijn vrij klein maar heel aromatisch. Gelukkig worden tegenwoordig weer veel moderne pronkerwten met een sterke geur gekweekt, maar het kan geen kwaad ook wat oude variëteiten toe te voegen. Als je de geur van deze planten echt wilt waarderen, moet je ze zelf kweken, want zodra ze geplukt worden, vervaagt de geur.**

rechts **Niet alle rozen ruiken lekker. De 'Peace'-roos mag er dan prachtig uitzien, de geur komt helaas niet overeen met het uiterlijk.**

helemaal rechts **Net als een parfumcomponist kan een tuinier geurige planten combineren, zodat de verschillende aroma's samensmelten tot een verrukkelijke geur. In deze tuin vormen kamperfoelie, rozen en lelies een bedwelmend parfum.**

blauweregen voor een indrukwekkende pracht, vooral wanneer je de bloesem over een pergola laat hangen. Op een pad omgeven door geurige planten laat je ze over de randen vallen, zodat je ze aanraakt in het voorbijgaan en hun heerlijke geur vrijkomt.

Van alle aromatische bloemen zijn rozen waarschijnlijk de populairste, maar er is een enorme verscheidenheid aan geuren en andere eigenschappen. De vier rozen die het geschiktst zijn voor het maken van rozenolie en dus de sterkste geur hebben, zijn de 'Belle de Crécy', 'Louise Odier', 'Madame Isaac Periere' en 'Roseraie de l'Haÿ'. Maar bedenk dat deze oude variëteiten niet altijd opnieuw bloeien en dat ze er wat rommelig uit kunnen zien. Veel moderne rozen worden gekweekt om de geur, maar groeien daarnaast ook goed en zijn bestand tegen allerlei ziekten.

Lavendel is de onmiskenbare cottagetuinbloem, maar de groeicondities moeten goed zijn. Het is een mediterrane plant, dus zet hem in de volle zon en zorg ervoor dat de afwatering goed is. Het is niet de kou waardoor lavendel in de winter afsterft, het is combinatie van vocht en kou. 'Hidcote' is de geliefdste soort: door de diepe kleur en compactheid is deze plant ideaal voor langs paden en in potten.

Aromatische bloemen komen het best tot hun recht in een zonnige, beschutte tuin. De zon concentreert de olie en de beschutting zorgt ervoor dat de geur in de lucht blijft hangen en niet wordt weggeblazen door de wind. Laat planten groeien over tuinhuisjes, prieeltjes, bogen en pergola's om de geur te vangen.

helemaal links De bloem van de Franse lavendel *Lavandula stoechas* ziet er heel anders uit dan de gewone lavendel, maar ruikt hetzelfde. 'Helmsdale' is een nieuwe cultivar met prachtige donkerbordeauxrode bloemen.

boven Een met een roos versierde boog en een pad met lavendel erlangs leiden naar een rustieke bank. De perfecte plek om te zitten en de geuren om je heen op te snuiven.

rechts Een graspad loopt door het midden van een geurige lavendeltuin. Om de lavendel zo mooi te houden als hier, moet je de plant bijknippen zodra de bloemen beginnen te verwelken, anders ontstaan gaten in de bosjes en gaan ze er doorgeschoten uitzien. Lavendel is een vrij kortlevende plant, dus is het een goed idee vanaf het tweede jaar te stekken. Van lavendel heb je nooit te veel.

Kruiden

Kruiden zijn de perfecte partners in een rustgevende tuin. Hun geruststellende aanwezigheid en aromatische eigenschappen roepen de tijden op waarin we een veel directer contact hadden met de planten – ze deden dienst als voedsel en medicijn. Voor velen zijn kruiden nu de enige planten die we nog kweken en dagelijks in de keuken gebruiken.

We reageren heel positief op het woord 'kruid', zoals ook op de eigenschappen van de kruiden zelf. Eeuwenlang zijn kruiden toegepast om te genezen, kalmeren, reinigen en verzachten, en ook als smaakmaker in ons eten. Onze band met kruiden zien we vaak terug in volksnamen: citroenmelisse of bijenkruid (*Melissa officinalis*), smeerwortel (*Symphytum officinale*), ogentroost (*Euphrasia officinalis*) en moederkruid (*Chrysanthemum parthenium*).

Hoewel de moderne kruidentuin vooral wordt geoogst om culinaire redenen of soms als ingrediënten voor bijvoorbeeld lavendelbuiltjes of potpourri, houden sommigen ook andere kruiden. Kruiden zijn meer dan lekker ruikende planten die de tuin versieren en het eten verlevendigen. Dit betekent overigens niet dat alle kruiden even heilzaam zijn en iedereen die naast de bekendste kruiden andere variëteiten plant, moet

links **Kruipende tijm en andere laaggroeiende kruiden zijn perfect voor de ruimten tussen de tegels op een terras.**

rechtsboven **Veel van de traditionele volksgeneesmiddelen zijn heel waardevol gebleken. Salie verbetert het geheugen en wordt toegepast bij de behandeling van Alzheimerpatiënten.**

rechts **Hoewel het een leuk idee is een stoel midden op een kruidentapijt te zetten, moet je wel voorzichtig zijn want bijen zijn net zo gek op kruiden.**

linksboven **Rozemarijn buitelt over terracottapotten en roept de kleuren en geuren van Toscane op.**

rechtsboven **De aparte geur van karwijzaad: de een is er dol op, de ander gruwt ervan. Sommigen doet deze geur denken aan oma's taart.**

helemaal rechts **Een eenvoudige bank gemaakt van een plank is een mooi excuus om tussen de kruiden te vertoeven. De geur is op zijn sterkst na het middaguur, wanneer de etherische oliën verdampt zijn en zich in de lucht hebben verspreid.**

heel goed op de hoogte zijn van de eigenschappen voordat men ook maar iets anders doet dan ze bewonderen.

Ben je van plan een kruidentuintje aan te leggen, houd dan goed rekening met de eisen van de verschillende kruiden. De mediterrane kruiden, waaronder salie, rozemarijn, tijm, oregano en marjolein, hebben een grond die water goed afvoert en een hete plek in de zon nodig. Denk aan hun natuurlijke habitat – de dorre, steenachtige kusten en heuvels van Frankrijk, Italië en Griekenland – en je begrijpt dat een gecultiveerde grond veel te rijk voor ze is. Ze hebben ook een hekel aan natte voeten, dus voeg veel grind toe.

Er zijn echter ook kruiden die van vochtige grond en bepaalde mate van schaduw houden. Munt, peterselie en citroenmelisse moeten op de een of andere manier in bedwang gehouden worden, anders overmeesteren ze al snel hun

Geniet van de aromatische eigenschappen van kruiden in je tuin. Plant kruipende tijm en rozemarijn tussen tegels en snuif de geur op als je over het pad loopt.

linksboven Basilicum is een typisch zomerkruid dat ruikt naar zonnige dagen. Hier groeit Thais of heilig basilicum in een oud blik.

rechtsboven De bloemen van tijm trekken bijen en andere nuttige insecten aan. Ga naast een tijmplant zitten en je hoort steevast gezoem.

volgende bladzijde linksboven Keukentijm moet deel uitmaken van de kruidentuin. Knip de plant na de bloeiperiode bij om het ontstaan van nieuwe scheuten te bevorderen en te voorkomen dat de plant doorschiet.

volgende bladzijde linksonder Kruipende tijm is dol op een hete, droge plek waar hij over een muur kan kruipen of over de rand van een pot.

volgende bladzijde rechts Salie is een onmisbaar keukenkruid.

buren. Van oudsher werden ze in emmers gezet met een gat onderin. Een moderne tegenhanger is een grote, buigbare plastic pot waar je de bodem uitnipt en die je in de grond zet met de rand net boven de aarde uit. Munt en citroenmelisse verspreiden zich via uitlopers over de grond, dus houd je ze op deze manier onder controle.

Probeer zelfs in de kleinste kruidentuin een plekje te vinden voor de klassieke keukenkruiden: peterselie, salie, rozemarijn, tijm en een laurierboompje. In milde gebieden kun je ze in de grond planten; elders moeten de minder sterke planten, vooral rozemarijn en laurier, misschien in potten groeien. Gebruik altijd compost met aarde en wat grind, dat is beter dan compost met turf, die de neiging heeft in de zomer uit te drogen en in de winter te nat te worden.

Als je eenmaal citroenverbena hebt gehad, wil je nooit meer zonder. Strijk erlangs en de

boven **Van salie bestaan allerlei variëteiten: sommige zijn zuiver decoratief, andere eetbaar. *Salvia officinalis* is de keukensalie. De meerkleurige vorm *Salvia officinalis* 'Icterina' smaakt net zo goed als hij eruitziet. Thee gezet van de blaadjes met een beetje honing is goed voor een zere keel. De bloemblaadjes van de kelk smaken verrukkelijk.**

rechts **De niet bloeiende vorm van kamille 'Treneague' is ideaal voor gazons of zithoekjes. Grotere kamillesoorten worden gekweekt om hun bloemen, die worden gebruikt voor thee en andere kruidenmiddelen.**

deze bladzijde **Munt** is een verfrissend en verkwikkend kruid. Net als salie heeft munt meerdere variëteiten voor allerlei doeleinden. Terwijl de wollige munt (links) in de keuken kan worden toegepast, zijn andere variëteiten, zoals de meerkleurige munt (boven) soms te sterk geparfumeerd om te eten. Munt heeft regelmatig bijmesten en veel water nodig.

rechts **Een overblijvende pronkerwt slingert zich een weg door een rozemarijnstruik. Rozemarijn is een sterk aromatisch kruid dat zijn tere blauwe bloemen in hartje winter draagt. Pluk de stengels vaak zodat de plant aantrekkelijk struikachtig blijft – als je de plant aan zijn lot overlaat, heeft hij de neiging door te schieten.**

helemaal rechts **Het veerachtige blad van de venkel contrasteert mooi met de vorm van de bloeiende tijm op de voorgrond. De tere stengels rijzen boven de omgeving uit en geven het kruidenbed hoogte.**

AROMATISCHE KRUIDEN

Aloysia triphylla (citroenverbena)

Anethum graveolens (dille)

Artemisia dracunculus (dragon)

Borago officinalis (bernagie)

Carum carvi (karwij)

Chamaemelum nobile (kamille)

Coriandrum sativum (koriander)

Foeniculum vulgare (venkel)

Laurus nobilis (laurier)

Melissa officinalis (citroenmelisse)

Mentha (munt) | *Ocimum basilicum* (basilicum)

Origanum vulgare (marjolein)

Petroselinum (peterselie)

Rosmarinus officinalis (rozemarijn)

Salvia officinalis (salie)

Satureja hortensis (bonenkruid)

Satureja montana (bergbonenkruid)

Thymus vulgaris (tijm)

lucht is gevuld met de heerlijke citrusgeur. Je kunt de bladeren gebruiken voor een verkwikkende thee en als smaakmaker in fruitsalades en taarten. In milde gebieden overleeft de plant buiten. Deze plant voelt zich op z'n best in een zonovergoten hoekje bij een muur of een hete ophoging met arme, droge aarde. Dit is ook zo'n mediterrane plant die er een hekel aan heeft in de winter nat te worden. Snoei de plant niet voordat de eerste groene scheuten in de lente tevoorschijn komen. Zit de plant in een pot, dan kun je hem uit laten drogen in een kas en begin je met matig water geven als de lente al een tijdje op gang is.

Veel kruiden voelen zich goed tussen bloemen, dus al heb je geen speciaal ingericht plekje voor kruiden, dan nog kun je van hun aromatische eigenschappen genieten. Plant bijvoorbeeld kruipende tijm en rozemarijn tussen tegels en de geuren komen vrij als je erlangs loopt.

Koel water en ruisende briesjes

Als we een vijver, beekje of fontein in onze tuin aanleggen, worden we ons bewust van de belangrijke rol die water in ons leven speelt. Luisteren naar het rustige geklater of kijken naar het weerspiegelende water, is heel geruststellend en kalmerend. Briesjes doen het wateroppervlak rimpelen en ruisen door het omringende gebladerte.

Als je in een gebied met een gematigd klimaat woont waar het geregeld regent en water gewoon uit de kraan stroomt, vergeet je al snel hoe kostbaar water is en hoe schaars in veel delen van de wereld. In het verleden konden tuinen alleen bestaan als er een betrouwbare waterbron was of waar mensen hadden geleerd water te bewaren en niet te verspillen. In de ontwerpen van de beroemde tuinen uit het verleden is water vaak een centraal thema. De Perzen lieten water door pijpen stromen vanaf dichtbij gelegen bergen om de woestijn te laten bloeien in tuinen waar spattende fonteinen en rustig kabbelende beekjes de droge lucht verkoelden. In Engeland lieten de aristocratie en de grootgrondbezitters het landschap bewerken naar de voorbeelden

links De ingebouwde bank in de oever van deze vijver nodigt uit om te gaan zitten en van het uitzicht te genieten. De fontein kan beter – hij is slecht geplaatst en leidt meer af dan dat hij iets toevoegt. Er zijn betere manieren om het geluid van klaterend water te creëren.

rechts Met zorg geplaatste rotsen en een naturalistische beplanting, waaronder *Iris pseudacorus* 'Variegata' op de voorgrond, wekken de illusie van een stroompje dat van een heuvel klettert.

Een groot voordeel van water in de tuin is de fauna die het aantrekt: libellen die boven het water hangen met hun regenboogkleurige vleugels, vogels die drinken en komen badderen, kleine zoogdieren die een kijkje komen nemen en amfibieën die zich er vestigen.

boven Aan deze donkere, rechthoekige vijver hoeft niets te worden toegevoegd. De prachtige omlijsting en de weerspiegelende eigenschappen getuigen van een bescheiden perfectie.

rechts Het is niet altijd nodig een tuin helemaal te veranderen om water toe te voegen. Een vijver in een pot in een piepkleine tuin tovert een gevoel van een mooie moeraspoel tevoorschijn.

rechts **In een moderne, strakke tuin bevat een alkoof in de muur een eenvoudige waterpartij. Water klatert naar beneden in een rechthoekige trog vanuit een waterspuwer in de muur en overstroomt in een lagere vijver. In een tuin zonder natuurlijke schaduw is dit koele hoekje een aangename afwisseling.**

van Capability Brown en Humphrey Repton. Er werden dammen aangelegd in rivieren en honderden arbeiders werkten tientallen jaren aan het graven van decoratieve meren en kanalen. In de tuinen van Versailles, Villa d'Este en Chatsworth, bereikt watertechniek haar hoogtepunt met de creatie van prachtige cascaden en fonteinen. In deze tuinen was water belangrijker dan planten.

Tegenwoordig wordt water op een wat bescheidener schaal toegepast, zelfs in publieke ruimten. We hebben allemaal de technologie, de meesten van ons hebben genoeg water en beperken water in de tuin tot een buitenkraan en een tuinslang en eventueel een irrigatiesysteem. De kosten zijn begrijpelijk een belangrijke overweging. Tenzij je het geluk hebt dat er een beekje door je tuin stroomt, komt er bij het aanleggen van zelfs een kleine vijver al heel wat kijken. Het is verstandig een deskundige in te schakelen – een slecht ontworpen waterpartij is erger dan helemaal geen, vooral in een rustgevende tuin, waar alle elementen rust moeten geven en geen ergernis. Te ondiepe vijvers leveren de meeste problemen op. Ze worden groen en zitten al snel boordevol algen, aangemoedigd door het warme, ondiepe water. De afvallende bladeren van overhangende bomen kunnen een vijver vervuilen. Ik geef toe dat water er heel aantrekkelijk uit kan zien op een schaduwrijke plek, maar zo'n vijver moet in de herfst een net krijgen en geregeld worden schoongemaakt, anders verandert hij in een stinkende poel.

Ook hier geldt dat het waterelement moet passen in de omlijsting. Een formele symmetrische tuin vereist een formele vijver. Met traditionele materialen die bestaande elementen accentueren loop je niet veel risico, maar het gebruik van moderne materialen – met de juiste vorm en afmetingen – kan een interessantere oplossing zijn. Eenvoudige, strakke lijnen doen het altijd goed in een moderne tuin waar vallend of stromend water op een effectieve manier het geluid van verkeer dempt en de lucht verfrist. In een landelijke tuin gaat een natuurlijke vijver op in het landschap en is het net of hij er altijd is geweest. Dergelijke vijvers hebben tijd nodig om één te worden met de tuin, maar ze zijn uiteindelijk aantrekkelijker dan de kant-en-klare exemplaren uit het tuincentrum die nogal eens onooglijke vormen hebben.

Bij het aanleggen van vijvers komt veiligheid kijken. Zijn er vaak kleine kinderen in de tuin, dan is open water een potentieel gevaar. Je zult weinig lol van je waterelement hebben als je steeds moet opletten. Dit betekent echter niet

dat water helemaal moet worden verbannen – een kiezelfontein is een eenvoudige en veilige manier om water in een tuin te introduceren, of een waterspuwer uit de muur die water op steentjes spuit: veilig en toch leuk.

Een groot voordeel van water in de tuin is de fauna die het aantrekt – libellen die boven het water hangen met hun regenboogkleurige vleugels, vogels die eruit drinken en erin badderen, kleine zoogdieren die een kijkje komen nemen, amfibieën die zich er vestigen en de piepkleine bootsmannetjes die over het oppervlak glijden. Heb je een excuus nodig om in je tuin te blijven hangen, dan zorgen deze schepsels daarvoor.

boven **Een met riet bedekte roestvrijstalen plaat zorgt voor een oppervlak met textuur waarover het water kan stromen. Er ontstaan belletjes en beweging in het water, waardoor de vissen gezond blijven.**

links **De fundering van een huis in de stad is van een onaantrekkelijke, onbenutte ruimte omgetoverd in een op Japanse tuinen gebaseerde watertuin. In de bak bevindt zich onderwaterverlichting. De materialen zijn voornamelijk stedelijk en de beplanting is eenvoudig – bamboe, dwergmispel en witte aronskelk.**

Natuurlijke vijvers zijn de beste omgeving, met hun ondiepe, licht hellende zijkanten waar oeverplanten de randen verzachten en de dieren een geschikte habitat vinden. Een aangenaam zitje zal je stimuleren even lekker plaats te nemen en het vijverleven te bekijken. En als de vijver groot genoeg is kun je het tafereel met een roeiboot van nog dichterbij bekijken.

Zwembaden kunnen het landschap ontsieren, maar er is een nieuwe, van oorsprong Europese ontwikkeling gaande die het uiterlijk en de invloed ervan op de omgeving op een indrukwekkende manier verandert. Deze zogenoemde zwemvijvers zijn bedacht in Oostenrijk, waar ontwerpers manieren zochten om zwembaden faunavriendelijk en minder opdringerig te maken. Een centraal zwemgedeelte bevindt zich in een open waterbassin, waarvan de bovenkant net onder de waterspiegel ligt. Dit zwembadgedeelte ligt in de vijver die twee keer zo groot is en die een

linksboven **Water sijpelt over deze stenen vanuit een pijp die door een geboord gat is gestoken. Ook als het water niet stroomt, hebben de stenen nog een plastische waarde.**

linksonder **Een grote keramische kom is veranderd in een opvallende verlichte waterpartij.**

rechts **Deze ongebruikelijke waterbak is gemaakt van glazen stenen en staat op een dakterras in Londen. Er is geen plant te bekennen, maar door de kiezels en het van bovenaf spattende water is er toch een aangenaam contrast van vormen en texturen.**

langzaam aflopende bodem heeft. Zowel de vijver als het zwembad zijn bekleed met donker, zwaar butylrubber. Vervolgens wordt de vijverbodem bedekt met een laag grind en beplant met een enorme verscheidenheid aan water- en oeverplanten. De planten zorgen voor zuurstof en werken waterzuiverend, zodat een filtersysteem niet nodig is. Als de zwemvijver eenmaal in balans is met de omgeving en de planten goed groeien, is het onderhoud minimaal en leven planten, dieren en mensen vreedzaam naast elkaar in de verschillende delen van de vijver. Een steiger vanaf de oever naar het zwembad in het midden zorgt ervoor dat je kunt genieten van het zwemmen in natuurlijk water zonder je knieën open te halen aan de rotsen of verstrikt te raken in het wier.

Mooie beplanting rond een zwembad of vijver werkt sfeerverhogend. Waterlelies houden van diep, stilstaand water en zijn geschikt voor zowel natuurlijke als formele vijvers. Oeverplanten groeien het best in de ondiepe

Het waterelement moet passen in de omlijsting. Eenvoudige, strakke lijnen doen het altijd goed in een moderne tuin waar vallend of stromend water op een effectieve manier het geluid van verkeer dempt en de lucht verfrist. In een landelijke tuin is het alsof de vijver er altijd is geweest.

delen, waar de wortels in natte grond zitten en de bloemen en bladeren in de zon. Er zijn bloeiende planten, zoals witte aronskelken, primula's van de candelabragroep, astilbes en Siberische irissen, en ook bladplanten die bewegen op de windvlagen die over de vijver waaien.

Het geluid van stromend water is na te bootsen, ook als je een vijver met stilstaand water of zelfs helemaal geen water hebt, door gebruik te maken van het geluid van de wind die door het gebladerte ruist. In Frankrijk doet het geluid van de wind die door de populieren waait, denken aan een snelstromende rivier. Arundo donax (reuzenriet) en bamboe vangen de wind op en imiteren het geluid van een kabbelend beekje.

Zodra we onze zintuigen scherp hebben ingesteld, is het geluid van planten overal om ons heen. Als ik in mijn eigen beschutte tuin sta waar nauwelijks een vleugje wind door mijn haren strijkt, hoor ik soms de wind waaien door de bomen aan de rand van de vallei en verbaas ik me over de kracht van de natuur. Dichterbij, op veel kleinere schaal, hoor ik het zachte barsten van de zaadknopjes van de Geranium palmatum, die zijn zaadjes uitstrooit, het geritsel van droge bladeren onder mijn voeten en in de moestuin het zachte gekletter van rijpende pronkbonen die tegen elkaar rammelen. Deze kleine, intieme geluiden helpen je je te concentreren en de zintuigen te verscherpen.

Sommige geluiden zijn bijna onhoorbaar, maar vallen in combinatie met beweging toch op. Dit geldt vooral voor siergrassen: het zachte geritsel kan onopgemerkt voorbijgaan, maar omdat de bladeren wuiven, wordt je aandacht gewekt. Deze kleine ontdekkingen en geneugten zijn elementen die van elke tuin een rustgevende plek kunnen maken.

helemaal links Bamboe ziet er prachtig uit bij vijvers en stroompjes, waar het ruisen van de wind in het blad voor extra sfeer zorgt. Kies de bamboesoort goed uit, want veel soorten woekeren en de scherpe wortels kunnen het scherpste vijverplastic doorboren.

links Siergrassen, zoals deze *Stipa tenuissima*, geplant tussen roze astrantia's, vangen elk zuchtje wind en zorgen voor beweging in de tuin.

rechts Van links naar rechts: de bamboesoorten *Phyllostachys aurea* 'Holochrysa', *P. aurea* en *P. aurea* 'Koi' hebben contrasterende bladeren en stengels. In een tuin zonder water schept het geluid van de wind die door de bladeren ruist, de illusie van de aanwezigheid van water.

Tuinarchitecten, ontwerpers en kwekers van wie het werk en de tuinen in dit boek voorkomen:

b=boven; o=onder; m=midden; l=links; r=rechts

Bedmar & Shi Designers Pte Ltd
12a Keong Saik Road
Singapore 089119
t. +65 22 77117
f. +65 22 77695
Een in 1980 in Singapore gevestigde firma, gespecialiseerd in woonprojecten en ook in binnenhuisarchitectuur, vooral voor restaurants en kantoren.
Bladzijde 15, 38-39, 87, 131.

Jonathan Bell
11 Sinclair Gardens
Londen W14 OAU
Engeland
t. +44 20 7371 3455
e. jb@jbell.demon.co.uk
Bladzijde 18-19, 48, 86.

Susan Berger & Helen Philips
Town Garden Design
69 Kingsdown Parade
Bristol BS6 5UG
Engeland
t./f. + 44 117 942 3843
Bladzijde 26-27, 47.

Tania Compton
e. taniacompton@madasafish.com
Bladzijde 40-41, 52-53.

Cooper/Taggart Designs
t. +1 323 254 3048
e. coopertaggart@earthlink.net
Bladzijde 88r, 106l.

De Brinkhof (tuin en kwekerij)
Dorpsstraat 46
6616 AJ Hernen
Nederland
t. 0487 531 486
Kwekerij en tuin open op vrijdag en zaterdag van 10.00-17.00 uur, van april tot eind september. Een kleine kwekerij die is gespecialiseerd in het kweken van ouderwetse en ongebruikelijke variëteiten van vorstbestendige overblijvende planten.
Bladzijde 13, 21, 34-35, 44o, 46b, 105r.

Pierre & Sandrine Degrugillier
Le Mas de Flore
Lagnes 84800
Frankrijk
t. +33 04 90 20 37 96
Antieke en opknapmeubels.
Bladzijde 98.

Great Dixter Nurseries
Northiam
Rye
East Sussex TN31 6PH
Engeland
t. +44 1797 253107
f. +44 1797 252879
e. greatdixter@compuserve.com
Bladzijde 42.

Isabelle C. Greene, F.A.S.L.A.
Isabelle Green & Associates
2613 De la Vina Street
Santa Barbara
CA 93105
V.S.
t. +1 805 569 4045
e. icgreene@aol.com
Tuinarchitecten.
Bladzijde 14.

Gruga Park (botanische tuinen)
Kulshammerweg 32 D 451 49 Essen
Duitsland
Bladzijde 34.

HDRA's Yalding Organic Gardens
Yalding Organic Gardens
Benover Road
Yalding, bij Maidstone
Kent ME 18 6EX
Engeland
t. +44 1622 814650
www.hdra.org.uk
HDRA (Henry Doubleday Research Association) onderzoekt en promoot organisch tuinieren en organische landbouw en voeding. Open van 10.00-17.00 uur van woensdag tot zondag (mei tot september) en in de weekeinden van april tot oktober. Ook geopend met Pasen en op officiële feestdagen op maandag.
Bladzijde 117l.

Judy M. Horton Garden Design
136 1/2 North Larchmont Boulevard , Suite B
Los Angeles
CA 9004
V.S.
t. +1 323 462 1412
f. +1 323 462 8979
e. info@jmhgardendesign.com
Bladzijde 2, 28, 88l.

Jan Howard
Room in the Garden
Oak Cottage
Furzen Lane
Ellens Green, Rudgwick
West Sussex RH 12 3 AR
Engeland
t. +44 1403 823958
Makers van sierlijk design van geroest ijzer. Tuinontwerpen door Jan Howard. Catalogus verkrijgbaar.
Bladzijde 62l.

Ivan Hicks
t./f. +44 1963 210886
e. ivan@theedge88.fsnet.co.uk
Tuin- en landschapsarchitect.
Bladzijde 58l, 62r.

Idan Croft Herbs
Staplehurst, Kent
Engeland
www.herbs-uk.com
Bladzijde 59, 67, 69b, 77, 110-111, 114-115, 116, 120-121.

Japanese Garden & Bonsai Nursery
St Mawgan
Cornwall
Engeland
t. +44 1637 860116
Bladzijde 45, 129.

Johnson-Naylor Interior Architecture
t. +44 20 7490 8885
Bladzijde 4r, 17, 24-25, 48-49, 83r, 89l, 102.

Judy Kameon
Elysian landscapes
724 Academy Road
Los Angeles
CA 90012
V.S.
t. +1 323 226 9588
f. +1 323 226 1191
www.plainair.com
Tuinontwerp en -meubilair.
Bladzijde 134o.

La Bambouserie de Prafrance
301040 par Anduze
Frankrijk
t. +33 68 61 70 47
Bladzijde 108, 137.

Peter & Pam Lewis
Sticky Wicket
Buckland Newton
Dorchester
Dorset DT2 7BY
Engeland
t./f. +44 1300 345476
Tuinontwerp, - restauratie en -beheer.
Bladzijde 8-8, 22l, 23, 36-37, 64-65, 112-113, 136-137.

Dale Loth Architects
1 Cliff Road
Londen NW1 9AJ
Engeland
t. +44 20 7485 4003
f. +44 20 7284 4490
www.dalelotharchitects.co.uk
Bladzijde 132-133.

Christina Oates
Secret Garden Designs
Fovant Hunt
Fovant, nr. Salisbury
Wiltshire SP3 5LN
Engeland
t. +44 1722 714756
www.secretgarden designs.co.uk
Tuinontwerpster Christina Oates is gespecialiseerd in tot de verbeelding sprekende en tegelijkertijd nuchtere adviezen en conceptontwerpen.
Bladzijde 10, 44rb, 69o, 73.

Sarah Raven's Cutting Garden
Perch Hill Farm
Brightling, Robertsbridge
East Sussex TN32 5HP
Engeland
t. +44 1424 838181
f. +44 1424 838571
e. info@thecutting garden.com
www.thecuttinggarden.com
Bladzijde 66.

Michael Reeves Interiors
33 Mossop Street
Londen SW3 2NB
Engeland
t. +44 20 7225 2501
f. +44 20 7225 3060
Bladzijde 84-85.

Suzanne Rheinstein Associates
817 North Hilldale Avenue
West Hollywood
CA 90069
V.S.
t. +1 323 931 340
en **Hollyhock Hilldale**
Adres: zie boven
Tuinantiek en -accessoires.
e.Hollyhockinc.@aol.com
Bladzijde 2, 28, 81l.

Rowden Gardens
Brentor
nr. Tavistock
Devon PL 19 ONG
Engeland
t./f. +44 1822 810275
Bladzijde 81.

Marc Schoellen
35 route de Colmar-Berg
L-7525 Mersch
Luxemburg
t. +352 327 269
Tuinhistoricus en amateuristisch tuinontwerper.
Bladzijde 25, 68, 70, 80-81o.

Roberto Silva
128 Hemingford Road
Londen N1 1DE
Engeland
t. +44 20 7700 7487
e.landrob7@aol.com
Bladzijde 3, 20-21, 58r, 82, 90l.

Enrica Stabile
l'Utile e il Dilettevole
via Carlo Maria Maggi 6
20154 Milaan
Italië
t. +39 234 53 60 86
www.enricastabile.com
Antiek meubilair, tuinmeubilair, decoratieve voorwerpen, soft furnishing, textiel.
Bladzijde 7, 57b, 98, 100, 103, 104.

Sally Storey
John Cullen Lighting
585 Kings Road
Londen SW6 2EH
Engeland
t. +44 20 7371 5400
Een grote verscheidenheid van praktische hedendaagse verlichting en op maat gemaakte designverlichting.
Bladzijde 16-17, 134b.

Derry Watkins
Special Plants
Greenways Lane
Cold Ashton
Chippenham
Wiltshire SN14 8LA
Engeland
t. +44 1225 891686
e.specialplants@bigfoot.com
www.specialplants.net
Geopend van 10.30-16.30 uur van maart tot september. Anders op afspraak. Postorder: alleen van sept. tot maart.
Bladzijde 128.

Whitelaw Turkington Landscape Architects
t. +44 20 7820 0388
Bladzijde 4r, 17, 24-25, 48-49, 83r, 89l, 102.

Stephen Woodhams
378 Brixton Road
Londen SW9 7 AW
Engeland
t. +44 20 7346 5656
Bladzijde 135.

Fotoverantwoording

Alle foto's zijn van Melanie Eclare, tenzij anders vermeld.
b=boven, o=onder, r=rechts, l=links, m=midden, f=fotograaf

Bladzijde 2 tuin van interieurontwerper Suzanne Rheinstein, ontworpen door Judy M. Horton; **3** een tuin in Londen, ontworpen door Roberto Silva; **4l** tuin van Niall Manning & Alastair Morton, Dunard, Fintry, Schotland G63 OEX; **4m** f Pia Tryde; **4r** daktuin van Fiona Naylor en Peter Marlow in Londen ontworpen door Fiona Naylor en tuinarchitect Lindsay Whitelaw; **5** f Pia Tryde; **7** f Christopher Drake/ huis van Enrica Stabile, Le Thor, Provence: tuinbank en kussens, L'Utile e il Dilettevole; **8-9** Sticky Wicket bij Dorchester, ontworpen en aangelegd door Peter en Pam Lewis; **10** Fovant Hut Garden bij Salisbury in Wiltshire, aangelegd door tuinontwerpster Christina Oates samen met haar man Nigel, open voor publiek; **12** tuin van Connie Haydon in Dorset; **13** tuin en kwekerij De Brinkhof van Riet Brinkhof en Joop van den Berk; **14** tuin van Carol Valentine in Californië, ontworpen door Isabelle Greene, F.A.S.L.A., een Californische tuinarchitect; **15** f Andrew Wood/'Melwani House' ontworpen door Bedmar & Shi designers in Singapore; **16-17** een huis in Chelsea, verlichting ontworpen door Sally Storey; **17** daktuin van Fiona Naylor en Peter Marlow in Londen, ontworpen door Fiona Naylor en tuinarchitect Lindsey Whitelaw; **18-19** een tuin in Londen, ontworpen door Jonathan Bell; **20-21** een tuin in Londen, ontworpen door Roberto Silva; **21** tuin en kwekerij De Brinkhof van Riet Brinkhof en Joop van den Berk; **22l** Sticky Wicket bij Dorchester, ontworpen en aangelegd door Peter en Pam Lewis; **22r** tuin van Niall Manning en Alastair Morton, Dunard, Fintry, Schotland G63 OEX; **23** Sticky Wicket bij Dorchester, ontworpen en aangelegd door Peter en Pam Lewis; **24-25** daktuin van Fiona Naylor en Peter Marlow in Londen, ontworpen door Fiona Naylor en tuinarchitect Lindsey Whitelaw; **25** 'La Bergerie', tuin van Marc Schoellen in Luxemburg; **26-27** tuin van James Morris in Bristol, ontworpen door Sue Berger & Helen Philips; **28** tuin van interieurontwerpster Suzanne Rheinstein, ontworpen door Judy M. Horton; **29** 'Butterstream', tuin van Jim Reynolds, Co. Meath, Ierland; **30** tuin van Connie Haydon in Dorset; **31** 'Butterstream', tuin van Jim Reynolds, Co. Meath, Ierland; **32l** tuin van Niall Manning en Alastair Morton, Dunard, Fintry, Schotland G63 OEX; **32r** 'Butterstream', tuin van Jim Reynolds, Co. Meath, Ierland; **33** tuin van Niall Manning & Alastair Morton, Durand, Fintry, Schotland G63 OEX; **34** f Andrea Jones/Gruga Park (botanische tuinen); **34-35** tuin en kwekerij De Brinkhof van Riet Brinkhof en Joop van den Berk; **36-37** Sticky Wicket bij Dorchester, ontworpen en aangelegd door Pam en Peter Lewis; **38-39** f Andrew Wood/'Melwani House' ontworpen door Bedmar & Shi designers in Singapore; **40-41** tuin van Peter en Sandra Aitken-Quack, Ham Cross Farm bij Tisbury, ontworpen door Tania Compton; **42** f Andrea Jones/Great Dixter Nurseries; **43** f Caroline Hughes/tuin van John en Joan Ward in Londen; **44lb** 'Butterstream', tuin van Jim Reynolds, Co. Meath, Ierland; **44rb** Fovant Hut Garden bij Salisbury in Wiltshire, aangelegd door tuinontwerpster Christina Oates samen met haar man Nigel, open voor publiek; **44o** tuin en kwekerij De Brinkhof van Riet Brinkhof en Joop van den Berk; **45** f Andrea Jones/Japanse tuin en bonsaikwekerij; **46b** tuin en kwekerij De Brinkhof van Riet Brinkhof en Joop van den Berk; **46o** tuin van de heer en mevrouw James Hepworth in Herefordshire; **47** tuin van Jim Morris in Bristol, ontworpen door Sue Berger & Helen Philips; **48** een tuin in Londen ontworpen door Jonathan Bell; **48-49** daktuin van Fiona Naylor en Peter Marlow in Londen, ontworpen door Fiona Naylor en tuinarchitect Lindsey Whitelaw; **50** tuin van de heer en mevrouw James Hepworth in Herefordshire; **51** f Polly Wreford/huis van Mary Foley in Connecticut; **52-53** tuin van Peter en Sandra Aitken-Quack, Ham Cross Farm bij Tisbury, ontworpen door Tania Compton; **54** 'Butterstream', tuin van Jim Reynolds, Co. Meath, Ierland; **54-55** f Chris Tubbs/huis van Maureen Kelly in de Catskills, New York; **56** familie Farrell, Woodnewton; **57o** f Pia Tryde; **57b** f Christopher Drake/huis van Enrica Stabile, Le Thor, Provence; tuinbank en kussens, L'Utile e il Dilettevole; **58l** tuin van Mart Barlow, ontworpen door Ivan Hicks; **58r** een tuin in Londen, ontworpen door Roberto Silva; **59** f Caroline Hughes/Iden

Croft Herbs; **60** tuin van Hutton Wilkinson, ontworpen door Tony Duquette; **61l** tuin van Mirabel Osler in Ludlow, Shropshire; **61r** tuin van Hutton Wilkinson, ontworpen door Tony Duquette; **62l** tuin van Jan Howard in Sussex; **62r** tuin van Mart Barlow, ontworpen door Ivan Hicks; **63** tuin van Mirabel Osler in Ludlow, Shropshire; **64-65** Sticky Wicket bij Dorchester, ontworpen en aangelegd door Pam en Peter Lewis; **66** tuin van Sarah Raven in Brightling, ontworpen door Sarah Raven; **67** f Caroline Hughes/Iden Croft Herbs; **68** 'La Bergerie', tuin van Marc Schoellen in Luxemburg; **69b** f Caroline Hughes/Iden Croft Herbs; **69o** Fovant Hut Garden bij Salisbury in Wiltshire, aangelegd door tuinontwerpster Christina Oates samen met haar man Nigel, open voor publiek; **70** 'La Bergerie', tuin van Marc Schoellen in Luxemburg; **72o** f Francesca Yorke; **73** Fovant Hut Garden bij Salisbury in Wiltshire, aangelegd door tuinontwerpster Christina Oates samen met haar man Nigel, open voor publiek; **74r** f Pia Tryde; **75** f Francesca Yorke; **76lb** f Caroline Hughes; **76lo** & r f Andrea Jones; **77** f Caroline Arber/Rosemary Titterington, Iden Croft Herbs; **78lb** f Chris Tubbs; **78lo**, ro & **79b** f Pia Tryde; **79o** f Andrea Jones; **80l** f Pia Tryde; **80rb** f Andrea Jones; **80-81o** 'La Bergerie', tuin van Marc Schoellen in Luxemburg; **81** f Andrea Jones/Rowden Gardens; **82** een tuin in Zuid-Londen ontworpen door Roberto Silva; **83lb** f Andrew Wood; **83r** beide daktuin van Fiona Naylor en Peter Marlow, ontworpen door Fiona Naylor en tuinarchitect Lindsey Whitelaw; **84-85** f Catherine Gratwicke/Marja Wolters – Londen, ontworpen door Michael Reeves, kussens van Ganesha, bamboetafel van Emily Readett-Bayley, linnen doeken van Eastern Trading Allowance; **86** een tuin in Londen, ontworpen door Jonathan Bell; **87** f Andrew Wood/'Melwani House', ontworpen door Bedmar & Shi designers in Singapore; **88l** tuin van interieurontwerpster Suzanne Rheinstein, ontworpen door Judy M. Horton; **88r** tuin van Laura Cooper en Nick Taggart in Los Angeles, ontworpen door Cooper/Taggart Designs; **89l** daktuin van Fiona Naylor en Peter Marlow in London, ontworpen door Fiona Naylor en tuinarchitect Lindsey Whitelaw; **89r** f Andrea Jones/Stoners; **90l** een tuin in Zuid-Londen ontworpen door Roberto Silva; **90-91 & 91m** f Caroline Hughes/tuin van John and Joan Ward in Londen; **91r** tuin van de heer en mevrouw James Hepworth in Herefordshire; **92-93** alle f Andrea Jones; **94** f Chris Tubbs; **96r & 97** © f Steve Painter; **98** f Christopher Drake/de heer en mevrouw Degrugillier, Le Mas de Flore, Antiquité et Création, Lagnes, Isle sur Sorgue, Provence; tuintafel en -stoel, Le Mas de Flore; kussen, L'Utile e il Dilettevole; **99** f Andrea Jones; **100** f Christopher Drake/antieke lantaarns, L'Utile e il Dilettevole; **100-101** tuin van Elspeth Thompson in Londen; **101** f Christopher Drake/huis van Guido & Marilea Somarè in Milaan; bamboe tuinlampen, Habitat; **102** daktuin van Fiona Naylor en Peter Marlow in Londen, ontworpen door Fiona Naylor en tuinarchitect Lindsey Whitelaw; **103** f Christopher Drake/huis van Enrica Stabile in de Provence; **104** f Christopher Drake/huis van Giorgio & Irene Silvagni in de Provence; ijzeren bed door Giorgio Silvagni bij L'Utile e il Dilettevole; zijden kussen, l'Utile e il Dilettevole; **105l** f Tom Leighton; **105r** tuin en kwekerij De Brinkhof van Riet Brinkhof en Joop van den Berk; **106l** tuin van Laura Cooper & Nick Taggart in Los Angeles, ontworpen door Cooper/Taggart Designs; **106r & 107l** tuin van Elspeth Thompson in Londen; **107r** f Pia Tryde; **108** f Andrea Jones/La Bambouserie de Prafrance; **110-110** f Caroline Hughes/Iden Croft Herbs; **112-113** Sticky Wicket bij Dorchester, ontworpen en aangelegd door Peter en Pam Lewis; **114** f Stephen Robson; **114-115** f Caroline Hughes/Iden Croft Herbs; **115** f Stephen Robson; **116** f Caroline Hughes/Iden Croft Herbs; **117l** Caroline Hughes/HDRA's Yalding Organic Gardens bij Maidstone, Kent; **117r** f Stephen Robson; **118** f Anne Hyde; **119b** f Francesca Yorke; **119o & 120l** f Pia Tryde; **120m** f Caroline Arber; **120-121** f Caroline Hughes/Iden Croft Herbs; **122-127** f Caroline Hughes; **128** tuin van Derry Watkins in Wiltshire, ontworpen door Derry Watkins en haar man, de architect Peter Clegg; **129** f Andrea Jones/Japanese tuin en bonsaikwekerij; **130l** tuin van Niall Manning & Alastair Morton, Dunard, Fintry, Schotland G63 OEX; **130r** f Jan Baldwin; **131** f Andrew Wood/'Melwani House', ontworpen door Bedmar & Shi designers in Singapore; **132-133** huis en tuin van architect in Londen, ontworpen door Dale Loth Architects; **134b** een huis in Chelsea, verlichting ontworpen door Sally Storey; **134o** tuin ontworpen door Judy Kameon – Elysian Landscapes; **135** daktuin van Sarah Harrison & Jamie Hodder Williams in Londen, ontworpen door Stephen Woodhams; **136l** f Andrea Jones; **136-137** Sticky Wicket bij Dorchester, ontworpen en aangelegd door Peter en Pam Lewis; **137** f Andrea Jones/La Bambouserie de Prafrance.

Register

Cursief gedrukte paginanummers verwijzen naar de illustraties.

I

J

K

L

M

N

O

P